CARLOS GARCÍA-PRADA

WILLIAM E. WILSON

University of Washington

HOUGHTON MIFFLIN COMPANY · BOSTON

The Riverside Press Cambridge

The Riverside Press
CAMBRIDGE MASSACHUSETTS
PRINTED IN THE U.S.A.

CONTENIDO

AL MAESTRO

ENTENDÁMONOS es un libro de texto que puede usarse en las clases de español tan pronto como los estudiantes se hayan familiarizado con los tiempos del indicativo, y hayan tenido alguna práctica en la lectura. Los modismos, y las palabras que no figuran entre las primeras mil del libro de Keniston intitulado *A Standard List of Spanish Words and Idioms,* se hallan aquí traducidos al pie de la página en que aparecen, con excepción de los *cognates* o palabras que tienen en los dos idiomas forma y sentido semejantes.

En ENTENDÁMONOS los materiales se presentan en forma gradual y relacionada siempre con las lecciones que figuran en los textos de gramática española más usados en las escuelas y colegios de los Estados Unidos.

El contenido de ENTENDÁMONOS es todo original y se basa en las diarias experiencias de un estudiante típico, y en las que puedan tener los que viajen por los países de habla española. Todas las lecciones están escritas en forma dialogada, y en lenguaje sencillo, natural y práctico.

Nuestro libro ofrece ejercicios muy variados, inclusive preguntas y temas de conversación. Muchas de las preguntas son de carácter personal, y los temas de conversación — que deben ser preparados por los estudiantes y siempre en forma dialogada — les ayudarán necesariamente a desarrollar su capacidad de expresarse en español.

Los muchos grabados que ilustran nuestro texto son parte integrante del mismo, y contienen materiales adecuados para la conversación entre estudiantes, dentro y fuera de la clase.

Le recomendamos al maestro: (1), que ponga a la disposición de los estudiantes un diccionario enteramente español, y (2), que les pida a todos, por grupos: (*a*), que lean en la clase y en voz alta todas las lecciones de ENTENDÁMONOS, dramatizándolas; y (*b*), que aprendan de memoria, cada grupo una vez a la semana, ciertas lecciones, y que las representen en la clase como si fueran comedias en miniatura. Esto le dará al maestro la oportunidad de corregir la pronunciación y la entonación españolas de los estudiantes, y a éstos la de discutir y comentar en la clase los temas de las lecciones, ejercitándose así más y más en la conversación en español.

Los autores de ENTENDÁMONOS quieren darles aquí las gracias: al Prof. James Babcock por las sugerencias que les hizo al escribir y editar el libro, y a Mrs. Naomi S. Wilson por su ayuda en la preparación de los dibujos que lo ilustran.

C. G. P.
W. E. W.

UNIVERSITY OF WASHINGTON
SEATTLE 5, WASHINGTON

PRONUNCIATION REVIEW

I. VOWELS

a:	casa, cama, trabajar, cantar.
closed **e:**	ese, parece, cesta, centro, estar.
open **e:**	perro, guerra, regla, oreja, lejos, ley, papel, sección.
i:	imitar, increíble, sillita, cinco, distinguir, iniciar.
closed **o:**	conocer, gozar, como, oro, mozo.
open **o:**	comprar, contar, correr, hoja, doy, la ola, ahora.
u:	puro, alguno, luna, pluma, educación, mucho, legumbre.

II. DIPHTHONGS

ai:	baile, aire, hay.
au:	automóvil, pausa.
ei:	veinte, rey.
eu:	deuda.
oi:	oigo, hoy.
ia:	hacia, familia, noticia. (*Contrast these words with* hacía, alegría, compañía.)
ie:	bien, ciento, pieza.
io:	sabio, palacio, yo.
ua:	cuadro, agua, cuanto.
ue:	bueno, fuera, pues.
ui:	cuidado, muy.
uo:	cuota, vacuo.

III. SYLLABLE DIVISION

A single consonant is pronounced with the following vowel:

la-bio, la-do, cui-da-do, po-co.

Two consonants are usually separated:

us-ted, can-tar, ac-ci-den-te.

Exceptions: **ch, ll, rr** and most consonants followed by **l** or **r:**

mu-cho, ca-lle, pe-rro, cu-brir, ma-dre, no-ble.

IV. CONNECTED SPEECH

A final consonant is pronounced with the following vowel:

el hombre = e-lom-bre; con usted = co-nus-ted.

Read: Vamos a casa. ¿Quién es el actor? En el invierno hace frío. Mis amigos están en el hotel.

Identical vowels and consonants are generally combined.

¿Dónde‿está‿Antonio? El elefante‿es enorme. Va‿a‿hablar ahora. ¿Qué‿es eso? Un‿nombre. El‿lápiz. Dos‿seño-res.

A final vowel generally combines with the initial vowel of a following word to form a diphthong.

Eso‿es lo que deseo. Estuve‿ocupado todo‿el día. La tiza‿está‿en la mesa. El libro‿es de‿un amigo.

V. DIFFICULT CONSONANTS

explosive **b, v:** boca, bueno, vámonos, hombre, invierno, han visto, un vapor.
fricative **b, v:** la boca, Cuba, hablaba, las uvas, la voz.
explosive **d:** donde, dentro, aldea, mundo, andar, un día, el domingo.
fricative **d:** a donde, estado, medida, padre, ha dicho, verde, comido, Madrid.
explosive **g:** gobierno, grande, tengo, sangre, guerra, guitarra.
ge, gi, j: coger, dirigirse, gente, hijo, rojo, juez.
fricative **g:** hago, digo, agradable, agua, la guerra, la guía.
simple **r:** tres, tren, carta, cortar, para, pero.
multiple **r:** tierra, correr, rico, ruido, al rededor, Enrique.

Note that **s** is assimilated by a following **r**: los ríos, los reyes, las reglas, es rico.

ñ:	año, pequeño, caña.
x between vowels:	examen, éxito, exacto.
x followed by a consonant:	extraño, extremo, explicación, extensión.

Entendámonos

EXPRESIONES PARA LA CLASE

Prestar atención	To pay attention
Pasar lista	To call the roll
Presente or **servidor (-a)**	Present
¿ Qué lección tenemos hoy ?	What lesson do we have today?
Estamos en la página . . .	We are on page . . .
Abran ustedes los libros	Open your books
¿ Qué línea ?	What line?
La lectura empieza en la página . . .	The reading begins on page . . .
Al principio (pie) de la página	At the beginning (bottom) of the page
Lea usted la primera oración	Read the first sentence
Tenga usted la bondad de traducir	Please translate
Repita usted	Repeat
Cierren ustedes los libros	Close your books
Pasen ustedes al pizarrón	Go to the blackboard
Escriban ustedes este dictado	Write this dictation
¿ Qué quiere decir . . . en inglés ?	What does . . . mean in English?
¿ Cómo se dice . . . en español ?	How do you say . . . in Spanish?
Ésta es la lección para mañana	This is tomorrow's lesson
Sírvase copiar las palabras	Please copy the words
Escriba usted en el cuaderno	Write in your notebook
Ha sonado el timbre (la campana)	The bell has rung
Ahora pueden ustedes marcharse	You may leave now

EL TIEMPO

1

LECCIÓN PRIMERA

—¡ Oh, qué calor ! ¿ Verdad, Alicia, que es terrible?

—Sí, papá. Por fortuna [1] es un calor seco. ¿Quieres tomarte una limonada ? [2]

—Muy bien, Alicia, gracias. Deseo continuar mi trabajo, y me tomaré una limonada para refrescarme.[3]

***

—Papá, si vamos a salir, debemos ponernos los impermeables.[4] Además, tú debes llevar el paraguas.[5]

—Tienes razón, Alicia. El tiempo está muy variable, y parece que va a llover.[6]

***

—¡ Ah, hija mía, qué tiempo ! Ayer llovió, y ahora . . .

—Hace mucho frío y mucho viento. ¿ Qué haremos ?

—Lo mejor será quedarnos en casa. ¿ No te parece ? [7]

—Bueno, papá. Nos quedaremos en casa.

***

—Alicia, ¿ qué hora es ?

—Son las ocho, papá.

—¿ Y el tiempo qué tal ? [8]

—Excelente. Es una mañana de octubre, clara y agradable. No hace ni frío ni calor, y el cielo está tan azul . . . Papá, ¿ no crees que debes levantarte?

[1] **Por fortuna** Fortunately
[2] **tomarse una limonada** to have a drink of lemonade
[3] **refrescarse** to cool off
[4] **el impermeable** raincoat
[5] **el paraguas** umbrella
[6] **llover** to rain
[7] **¿ No te parece ?** Don't you think so?
[8] **¿ Y el tiempo qué tal ?** And how is the weather?

— Sí, Alicia, ahora mismo.[9] Después saldremos a dar un paseo, ¿ eh ?
— No, papá. Yo tengo que ir a la clase de español.
— Entonces yo saldré solo a gozar del sol.

VOCABULARIO SUPLEMENTARIO

la primavera spring
el verano summer
la nieve snow
la lluvia rain
templado temperate
húmedo damp
el otoño autumn (fall)
el invierno winter
tengo (mucho) frío I am (very) cold
tengo (mucho) calor I am (very) warm
hace sol the sun is shining
nevar to snow

PREGUNTAS

A

1. ¿ Qué le ofrece Alicia a su padre ? 2. ¿ Qué hace el padre de Alicia ? 3. ¿ Por qué le ofrece una limonada ? 4. ¿ Por qué se ponen los impermeables Alicia y su padre ? 5. ¿ Qué hacen ellos cuando el tiempo está malo ? 6. ¿ A qué horas viene Alicia a ver a su padre ? 7. ¿ Cómo está la mañana ? 8. ¿ Qué desea el padre de Alicia ? 9. ¿ Le gusta gozar del sol ? 10. ¿ Por qué no sale Alicia con su padre ?

B

1. ¿ Qué tal está el tiempo hoy ? 2. ¿ Qué tiempo hace ahora ? 3. ¿ Cuáles son las estaciones del año ? 4. ¿ En qué estación llueve mucho ? 5. ¿ Cuándo hace mucho calor ? 6. ¿ Qué tiempo hace aquí en octubre ? 7. ¿ Qué estación del año le gusta más a usted ? ¿ Por qué ? 8. ¿ Qué hace usted cuando llueve ? 9. ¿ Le gusta a usted el frío o el calor ? 10. ¿ Se queda usted en casa cuando hace mal tiempo ?

[9] **ahora mismo** right now

EJERCICIO

(En los ejercicios de conversación hallados al fin de cada lección, el maestro puede pedirles a los estudiantes que preparen las preguntas y las respuestas, o puede pedirle a un grupo de estudiantes que prepare las preguntas, y a otro las respuestas, y debe animarles siempre a que elaboren y alarguen las preguntas y las respuestas tanto como sea posible.)

Conversation. Ask and answer (in complete Spanish sentences) the following questions:

a. What is the weather like today?
b. Do you like this weather?
c. What kind of weather do you like best?
d. Does it rain much here in the fall?
e. What do you wear when it rains?

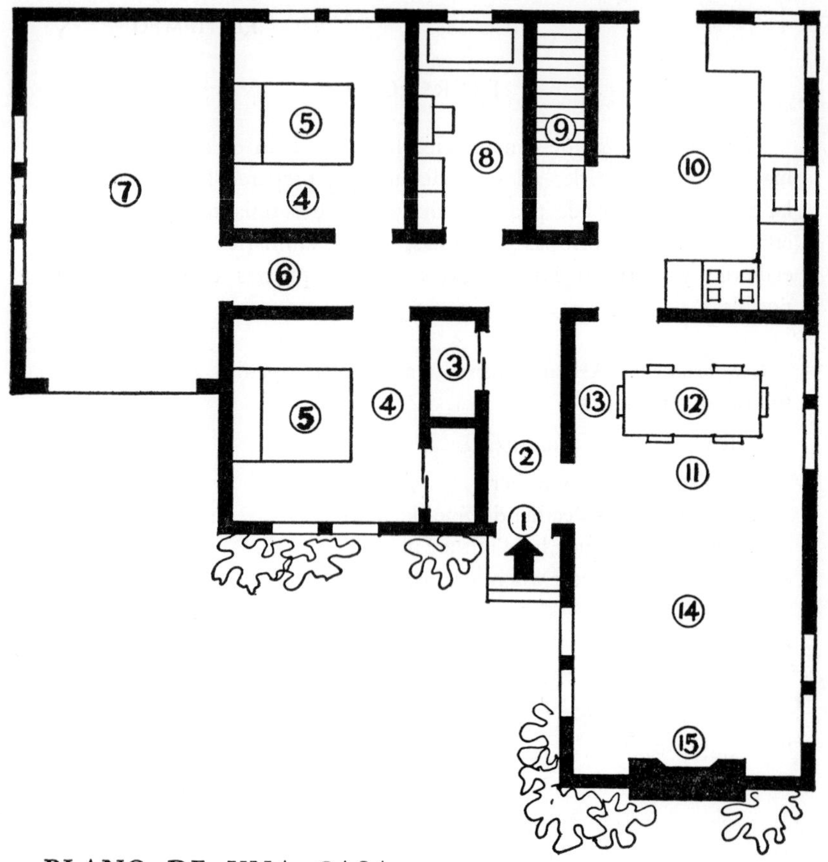

PLANO DE UNA CASA

1. **el portón (la puerta de la calle)** front door
2. **el vestíbulo** vestibule
3. **el ropero (el guardarropa)** closet
4. **la alcoba (el cuarto de dormir)** bedroom
5. **la cama** bed
6. **el pasillo** hall, corridor
7. **el garage (la cochera)** garage
8. **el cuarto de baño** bathroom
   el lavamanos (el lavabo) washbowl
   el inodoro (el excusado) toilet
   la bañera (la tina de baño) bathtub
9. **la escalera** stairway
10. **la cocina** kitchen
    la estufa stove
    el lavadero sink
11. **el comedor** dining room
12. **la mesa** table
13. **la silla** chair
14. **la sala** living room, parlor
15. **la chimenea** fireplace

VOCABULARIO SUPLEMENTARIO

la alacena cupboard
las camas gemelas twin beds
la despensa pantry
la ducha (la regadera) showerbath
el piso floor, story
el sótano (el subterráneo) basement

PREGUNTAS

A

1. ¿ Cuántas piezas (habitaciones) tiene una casa moderna ?
2. ¿ Cuáles son las piezas principales de una casa típica ?
3. ¿ Dónde se reúne la familia ?
4. ¿ Dónde come la familia ?
5. ¿ Dónde nos reunimos por la noche ?
6. ¿ Dónde leemos los periódicos ?
7. ¿ Dónde se cocina ?
8. ¿ Dónde se guardan los alimentos ?
9. ¿ Qué hay en un comedor ?
10. ¿ Cuántas mesas hay en el comedor ?
11. ¿ Cuántas escaleras hay en una casa ?
12. ¿ En qué piso está la cocina ?
13. ¿ En qué piso están las alcobas ?
14. ¿ Dónde está el vestíbulo ?
15. ¿ Qué hay en la cocina ?

B

1. ¿ Vive usted en una casa o en un hotel ?
2. ¿ Vive usted en un apartamento ?
3. ¿ Cuántas habitaciones (piezas) tiene la casa donde usted vive ?
4. ¿ Qué hace usted en la sala de su casa ?
5. ¿ Dónde lee usted los periódicos ?
6. ¿ Duerme usted en el comedor ?
7. ¿ Qué hace en el comedor ?
8. ¿ A dónde va usted si desea lavarse las manos ?
9. ¿ Qué hay en un cuarto de baño ?
10. ¿ Estudia usted a veces en su casa ?
11. ¿ Estudia usted en la despensa ?
12. ¿ Tiene usted chimenea en casa ?
13. ¿ Le gusta a usted el fuego de la chimenea ?
14. ¿ Se sienta usted junto al fuego cuando hace frío ?
15. ¿ Dónde escucha usted la radio ?
16. ¿ Le gustan a usted los programas de radio ?
17. ¿ Cuáles le gustan más ?
18. ¿ Por dónde baja usted al sótano de su casa ?
19. ¿ Es muy cómoda la casa de usted ?

SALUDOS, DESPEDIDAS Y PRESENTACIONES

2

LECCIÓN SEGUNDA

—Buenas tardes, Alicia. ¿Cómo está usted?

—Muy bien, Pedro, gracias. ¿Y usted?

—Así, así . . . Pero estaré mejor si usted va al cine (cinema)[1] conmigo esta noche. ¿Quiere usted?

—Con mucho gusto. ¿Lo espero a las siete?

—Muy bien. Vendré por usted a las siete en punto.[2] Hasta la vista.

—Un momento, Pedro . . . ¿Quién es ese joven que viene allá? ¿Lo conoce usted?

—Es mi amigo Antonio Molina.

—Es muy guapo,[3] ¿verdad?

—Sí, un poco . . . ¿Quiere usted conocerlo?

—¡Ay, sí, ahora mismo!

***

—Hola,[4] Pedro, ¿qué tal?

—Bien, gracias. Alicia, tengo el gusto de presentarle a mi amigo Antonio Molina.

—Señorita . . .

—Alicia Jones, pero usted puede llamarme Alicia . . .

—Gracias. Tanto gusto en conocerla.[5]

—El gusto es para mí, Antonio. Esta noche Pedro y yo iremos al cine. ¿Quiere usted ir con nosotros, Antonio?

—Muchas gracias, Alicia. Esta noche no. Quizás mañana . . .

—¿Tiene algo que hacer?

[1] **el cine (cinema)** "movies"

[2] **a las siete en punto** at seven o'clock sharp

[3] **guapo** good-looking

[4] **Hola** Hello

[5] **Tanto gusto en conocerla** I'm happy to make your acquaintance

— Sí y no. Tengo una cita.[6] Usted comprende.
— ¡ Oh ! . . . Lo comprendo. *¡ Pobre-cita !* . . . ¡ Adiós !

VOCABULARIO SUPLEMENTARIO

buenos días good morning
buenas noches good evening
hasta luego see you later
hasta mañana until tomorrow
¿ qué tal está ? how are you?
servidor de usted at your service

PREGUNTAS

A

1. ¿ Cómo está Alicia ? 2. ¿ Quién es Pedro ? 3. ¿ Qué desea el joven ? 4. ¿ A dónde quiere ir Pedro con Alicia ? 5. ¿ A qué horas irán los dos al cine ? 6. ¿ Por qué desea Alicia conocer a Antonio Molina ? 7. ¿ Quién invita a Antonio al cinema ? 8. ¿ Por qué no acepta Antonio la invitación ? 9. ¿ Estaba ocupado Antonio ? 10. ¿ Tenía una cita esa noche ?

B

1. ¿ Cómo se llama usted ? 2. ¿ Qué tal está ? 3. ¿ Le gusta a usted el cine ? 4. ¿ Cuándo va usted al cinema ? 5. ¿ Va usted al cine con sus amigos ? 6. ¿ Qué les dice usted a sus amigos cuando los saluda ? 7. ¿ Qué les dice cuando se despide de ellos ? 8. ¿ Tiene usted aquí muchos amigos ? 9. ¿ Qué hace usted cuando quiere conocer a una persona ? 10. ¿ Cuándo presenta usted a las personas ?

EJERCICIO

Conversation. Ask and answer (in complete sentences in Spanish) the following questions:

a. Who is that good-looking young lady over there?
b. So she is Carmencita. Will you present me to her?
c. I'm so happy to meet you, Carmencita. Will you go with me to the movies tonight?
d. Thanks. Shall I come for you at seven o'clock?

[6] **la cita** appointment, "date"

EN LA SALA

1. **el piso** floor
2. **la alfombra** carpet
3. **la pared** wall
4. **el techo** ceiling
5. **la ventana** window
6. **la cortina** drapery
7. **los estantes (anaqueles)** bookcases
8. **el interruptor** switch
9. **el cuadro** picture
10. **el reloj** clock
11. **el sillón** armchair
12. **la silla** chair
13. **la sillita** small chair
14. **el escritorio** writing desk
15. **el sofá** sofa
16. **la mesa del café** coffee table
17. **la otomana** ottoman, hassock
18. **la lámpara** lamp
19. **la chimenea** fireplace
20. **la televisión** television set

PREGUNTAS

A

1. ¿ Qué parte de la casa representa este cuadro ?
2. ¿ Quiénes están en la sala ?
3. ¿ Qué hace el dueño de casa ? ¿ Dónde está sentado ?
4. ¿ Está fumando en pipa ? ¿ Dónde tiene los pies ?
5. ¿ Está sentado cerca de la chimenea ?
6. ¿ Qué está haciendo la mamá ?
7. ¿ Cuántas lámparas hay en la sala ?
8. ¿ Hay fuego en la chimenea ?
9. ¿ Quién está sentado al escritorio ?
10. ¿ Cuántos sillones hay en la sala ?
11. ¿ Está leyendo o jugando la niña menor ?
12. ¿ Qué está haciendo la niña mayor ?
13. ¿ Cubre la alfombra todo el piso de la sala ?
14. ¿ Cuántas ventanas hay en esta sala ?
15. ¿ Dónde está la única lámpara que hay en la sala ?
16. ¿ Dónde está el reloj ?
17. ¿ Qué hace el muchacho ?

B

1. ¿ En qué parte de la casa vive usted con su familia ?
2. ¿ Dónde recibe usted a las personas que vienen a visitarlo ?
3. ¿ Dónde se sienta usted a leer cuando está en casa ?
4. ¿ Se echa usted en el sofá cuando quiere descansar ?
5. Si hace frío, ¿ dónde se sienta usted ?
6. ¿ Dónde escribe usted cartas cuando está en casa ?
7. ¿ Tiene usted muchos libros en casa ?
8. ¿ Hay libros y revistas en todas las casas americanas ?
9. Si hay libros, ¿ dónde se colocan por lo común ?
10. ¿ Quiénes juegan a las muñecas ?
11. ¿ Les gusta a los niños jugar a las muñecas ?
12. ¿ Fuma usted ? ¿ Fuma usted en pipa ?
13. Por lo general, ¿ quiénes fuman en pipa ?
14. ¿ Hay cortinas en todas las casas ? ¿ Para qué sirven las cortinas ?
15. ¿ Qué hay en las paredes de la sala de su casa ?
16. ¿ Se sienta usted en el sofá cuando escribe cartas ?
17. ¿ Qué programas de televisión le gustan más a usted ?

EN LA CLASE

3

LECCIÒN TERCERA

—Alicia, ¿ a dónde va ?

—A mi clase de español. ¿ Quiere venir conmigo ?

—No, gracias. A mí no me interesa mucho el español.

—No importa, Pedro. Mi clase de español es muy interesante. El profesor Morales enseña ilustrando, por medio de[1] la acción, todo lo que dice, y en su clase aprendemos un poco de todo. Además, en ella nadie sabe lo que va a suceder, y siempre sucede algo, como lo verá. ¿ Quiere venir ?

—Está bien. Vamos.

(Los estudiantes están ya en la clase. Entra el profesor Morales, pasa lista,[2] y comienza la lección).

—A ver, señorita Smith, ¿ cómo estoy, de pie[3] o sentado ?

—De pie, señor Morales.

—¿ Y ahora ?

—Sentado.

—¿ Y usted cómo está ?

—Muy bien, gracias. ¿ Y usted ?

—No le preguntaba eso, señorita. Le preguntaba que[4] cómo está, de pie o sentada ?

—¿ Yo ? . . . Sentada, señor.

(Los estudiantes ríen, y el profesor continúa).

—Señores y señoritas: En la clase tenemos una mesa, unas sillas, una cesta[5] y un pizarrón.[6] Allá hay una puerta que da al[7] pasillo,[8] y al

[1] **por medio de** by means of
[2] **pasar lista** to call the roll
[3] **de pie** standing
[4] **Le preguntaba que** I was asking you
[5] **la cesta** basket
[6] **el pizarrón** blackboard
[7] **dar a** to open on, face
[8] **el pasillo** hall

frente[9] dos ventanas que dan al jardín. Bien, señorita Jones, ¿ qué hay en la clase ?

— Un profesor y veinte estudiantes.

— Muy bien, ¿ y qué más ?

— Una mesa.

— ¿ Y qué más ?

(*Como Alicia Jones no puede decir más, el profesor cambia de táctica,*[10] *y señalando las cosas le pregunta:*)

— ¿ Qué es esto, señorita ?

— Una cesta.

— ¿ Y eso qué es ?

— Eso es . . .

— ¡ Ah, señorita, ese *S.O.S.* es muy urgente !

(*Y el profesor se le acerca a Alicia para ayudarla, mientras ríen todos los estudiantes*).

VOCABULARIO SUPLEMENTARIO

el borrador	eraser	**el lápiz**	pencil	**el puntero**	pointer
el cuaderno	notebook	**el libro**	book	**el pupitre**	desk
el cuadro	picture	**el mapa**	map	**la tiza**	chalk

PREGUNTAS

A

1. ¿ A qué clase fueron Alicia y su amigo ? 2. ¿ Quién enseña la clase de español ? 3. ¿ Cómo ilustra el profesor Morales todo lo que dice ? 4. ¿ Qué hace el señor Morales antes de comenzar la lección ? 5. ¿ Cuántas mesas hay en la sala de clase ? 6. ¿ A dónde da la puerta ? 7. ¿ Cuántas ventanas hay en la sala de clase ? 8. ¿ A dónde dan las ventanas ? 9. ¿ Cuántos estudiantes hay en la clase ? 10. ¿ Le responde bien la señorita Jones al profesor ?

B

1. ¿ Estudia usted el español ? 2. ¿ Le interesa a usted el estudio del español ? 3. ¿ Qué lengua estudia usted ? 4. ¿ Qué lengua hablan los mexicanos ? 5. ¿ Estudia usted historia en esta clase ? 6. ¿ Qué se aprende en una clase de lenguas ? 7. ¿ Por qué estudia usted el español ? 8. ¿ Quiere usted hablar español ? 9. ¿ Dónde se habla español ? 10. ¿ Quiere usted ir a España o a la América española ?

9 **al frente** opposite

10 **cambiar de táctica** to change tactics

VIÑETAS DE LA UNIVERSIDAD

I. *En la sala de clase:* el profesor; los alumnos; el pizarrón; el borrador; la tiza; el cuaderno de notas.

II. *La hora de recreo:* los estudiantes; la escalera; leyendo el periódico; fumando un pitillo; repasando las lecciones; coqueteando.

III. *En la biblioteca:* la sala de lectura; los anaqueles; los libros; el erudito; sacando apuntes.

IV. *Graduándose:* el manteo (la toga); el micrófono; entregando los diplomas; el rector; los graduados; la plataforma; la orquesta; el violín; el violoncello; el piano.

PREGUNTAS

I. 1. ¿ Cuántos alumnos (estudiantes) hay en esta sala de clase ?
2. ¿ Cuántas alumnas hay ?
3. ¿ Qué hace el profesor con la tiza ?
4. ¿ Qué escribe en el pizarrón ?
5. ¿ Qué hacen las alumnas ? ¿ Dónde están ellas ?
6. ¿ Cómo están, de pie o sentadas ?
7. ¿ Estamos ahora en la sala de clase ?
8. ¿ Cuándo vino usted a la sala de clase ?
9. ¿ Cuántos alumnos hay en nuestra clase ?

II. 1. ¿ Cuántos estudiantes hay en la escalera ?
2. ¿ Están todos sentados ?
3. ¿ Qué están haciendo los muchachos que están sentados ?
4. ¿ Qué hacen las muchachas ?
5. ¿ Están en la sala de clase estos estudiantes ?
6. ¿ Por qué no están en ella ?
7. ¿ Qué hace usted durante el recreo ?
8. ¿ Coquetean en la clase los estudiantes ?
9. ¿ Fuma usted en la clase ? ¿ Por qué no ?

III. 1. ¿ Quiénes están en esta sala de lectura ?
2. ¿ Dónde está la sala de lectura ?
3. ¿ Qué muebles hay en la sala ?
4. ¿ Dónde están los libros ?
5. ¿ Hay libros de consulta en la sala ?
6. ¿ Qué hace el estudiante ?
7. ¿ Está el erudito haciendo una consulta ?

IV. 1. ¿ Dónde está el rector de la universidad ?
2. ¿ Qué está haciendo ?
3. ¿ Quiénes usan (llevan) manteo ?
4. ¿ Cuándo lo llevan ?
5. ¿ Cuántos músicos se ven en este cuadro ?
6. ¿ Qué instrumentos se ven ?
7. ¿ Toca usted algún instrumento ?
8. ¿ Tiene usted su diploma de bachiller ?
9. ¿ Cuándo espera tenerlo ?

UNA CIUDAD

4

LECCIÓN CUARTA

—Es verdad, Pedro. Ésta es una ciudad limpia y alegre. ¿Es una ciudad típica?

—Sí, Antonio. En los Estados Unidos hay muchas ciudades como ésta.

—¿Y tienen todas sus templos y teatros, sus bancos y bibliotecas,[1] sus hoteles y restaurantes, y sus jardines y campos de recreo?[2]

—Por supuesto.[3] Y también sus escuelas, sus talleres,[4] sus garages y estaciones de gasolina, y algunas fábricas.[5]

—¡Es maravilloso! ¿Y cuántos habitantes[6] tiene?

—Unos veinte mil. Como usted ve, es una ciudad típica en todo sentido.[7] Aquí todo el mundo trabaja, en las tiendas, en los talleres, en los hoteles, etc., etc. Los niños y los jóvenes pasan el día en la escuela y en el colegio.

—¿Y aquí no se divierten[8] las gentes?

—Por supuesto. Unos van al teatro, otros a los salones de baile,[9] y otros a los campos de recreo.

—¿Y a los templos?

—Sí, y también a la biblioteca, que contiene miles de libros, revistas[10] y periódicos. Nuestra vida es muy activa y próspera.

—¡Es maravilloso! ¿Se dice aquí que *el tiempo huye y no vuelve?*

—Sí, Antonio, pero se dice también que *el tiempo es oro,* y por eso nadie quiere perderlo.

1 **la biblioteca** library
2 **el campo de recreo** playing field
3 **Por supuesto** Of course
4 **el taller** shop
5 **la fábrica** factory
6 **el habitante** inhabitant
7 **en todo sentido** in every sense of the word
8 **divertirse** to have a good time, enjoy oneself
9 **el salón de baile** dance hall
10 **la revista** magazine

VOCABULARIO SUPLEMENTARIO

la aldea village
el café cafe
el campo country
el campo de deporte athletic field
la población small town
el pueblo town

PREGUNTAS

A

1. ¿ Cómo es una ciudad americana? 2. ¿ Qué hay en una ciudad típica? 3. ¿ Qué se ve en las calles de una ciudad? 4. ¿ Cuántos habitantes tiene una ciudad típica? 5. ¿ Qué hacen las gentes de una ciudad? 6. ¿ Cómo se divierte la gente? 7. ¿ Dónde pasan los días los niños y los jóvenes? 8. ¿ Por qué va la gente a la biblioteca? 9. ¿ Dónde bailan las gentes de la ciudad? 10. ¿ Qué se dice aquí del tiempo?

B

1. ¿ De dónde es usted? 2. ¿ Vive usted en la ciudad o en el campo? 3. ¿ Cómo se llama la ciudad donde vive usted? 4. ¿ Va usted a la escuela o al colegio? 5. ¿ Trabaja usted todos los días? 6. ¿ Trabaja usted en una fábrica o en un taller? 7. ¿ Cuándo va usted a los templos? 8. ¿ Le gusta a usted jugar al tenis? 9. ¿ Cree usted que el tiempo es oro? 10. ¿ En qué aldea vive su amigo?

EJERCICIOS

I. *Defina usted en español estas palabras:* la escuela; el templo; la biblioteca; la tienda; la ciudad; el pueblo.

II. *Conversation.*
   a. How many inhabitants are there in this city or town?
   b. How do they earn their living (ganarse la vida)?
   c. How do they amuse themselves?
   d. What types of buildings are found down town (en el centro)?

LA CIUDAD

1. **la casa de apartamentos** apartment house
2. **las tiendas** stores, shops
3. **la ropería** clothing store
4. **la estación de gasolina** filling station
5. **el cabildo** townhall
6. **el reloj de torre** tower clock
7. **el banco** bank
8. **la peluquería** barber shop
9. **la tienda de variedades (el almacén)** department store
10. **el teatro de cine** moving-picture theater
11. **la taquilla** ticket window
12. **la iglesia (el templo)** church
13. **la torre (el campanario)** belfry tower
14. **la farmacia (botica)** drugstore
15. **la avenida** avenue
16. **la calle** street
17. **el callejón** alley
18. **la acera** sidewalk
19. **el automóvil (coche)** automobile

PREGUNTAS

A

1. ¿ Hay muchos edificios en este cuadro ?
2. ¿ Cuántas calles se ven en él, y cuántas avenidas ?
3. ¿ Cuántas bocacalles hay ?
4. ¿ Se ven muchas personas en este cuadro ?
5. ¿ Se ven muchos vehículos ?
6. ¿ Qué vehículos se ven ?
7. ¿ Cuál es el edificio más alto ?
8. ¿ Cómo se llama este teatro ?
9. ¿ Qué edificios tienen torre ?
10. ¿ Qué hay en la torre del cabildo ?
11. ¿ Qué clase de tiendas hay en esta ciudad ?
12. ¿ Dónde está la estación de gasolina: en la calle o en la avenida ?
13. ¿ Cuántas esquinas tiene esta bocacalle ?
14. ¿ En qué esquina está la botica ?
15. ¿ Quién está en la taquilla del Rialto ?
16. ¿ Cuántas señales de tráfico hay en la calle, y cuántas en la avenida ?
17. ¿ Qué hay en el parque de esta ciudad ?

B

1. ¿ Dónde vive usted, en el campo o en la ciudad ?
2. ¿ Cómo se llama la ciudad donde vive usted ?
3. ¿ Vive usted en la ciudad capital del estado ?
4. ¿ Hay parques en la ciudad donde vive usted ?
5. Por lo general ¿ qué hay en los parques de una ciudad ?
6. ¿ Cómo se llama el teatro a donde va usted ?
7. ¿ Están los teatros siempre en el centro de la ciudad ?
8. ¿ Dónde están los bancos ?
9. ¿ Dónde compra usted la ropa ?
10. ¿ Compra usted los zapatos en una botica ?
11. ¿ Qué compra usted en las boticas ?
12. ¿ Va usted todos los días a la ropería ?
13. ¿ Dónde compra usted los boletos (billetes) cuando va al cine (cinema) ?

---

20. **la señal de tráfico (Alto; Pare usted)** traffic sign (Stop)
21. **el camión** truck
22. **la bocacalle** intersection
23. **la esquina** corner
24. **el parque** park
25. **la bicicleta** bicycle

EN FAMILIA[1]

LECCIÓN QUINTA

—Sí, Antonio, vivimos en el Camino Real, número ochocientos cuarenta. No es muy lejos, y yo quiero presentarlo a mis padres y a mi hermano Roberto. ¿Quiere venir a verlos esta noche?

—Con mucho gusto, Alicia. ¿Podré venir a las ocho?

—Convenido.[2] Lo esperamos a las ocho. Hasta luego, Antonio.

—Hasta las ocho.

***

—Papá, tengo el gusto de presentarte a Antonio Molina, mi amigo colombiano.

—Tanto gusto, Mr. Jones.

—Bien venido,[3] Antonio. Aquí tiene usted[4] a Mrs. Jones.

—Tanto gusto en conocerla, señora. ¿Y su hijo Roberto?

—Salió a dar un paseo[5] con Pedro Firestone, el novio de Alicia...

—¿El novio?... ¡Oh, qué interesante!

—¿Quiere usted sentarse, aquí en el sofá?

—Muchas gracias. Usted es muy amable.

> (*Antonio se sienta junto a Mrs. Jones, y al notar ésta que el joven todo lo observa con mucha atención, le pregunta:*)

—¿Cómo le parece la sala? Usted está en su casa.[6]

—Gracias. La sala es muy cómoda[7] y elegante. Los muebles[8] y los cuadros son muy artísticos.

—¡Ah!, por lo que acaba de decir[9] voy a darle una sorpresa ahora mismo. Alicia, ¿quieres traernos el café?

—Sí, mamá.

1 **En familia** In the family circle
2 **Convenido** Agreed, very well
3 **Bien venido** Welcome
4 **Aquí tiene usted** Here is (are), this is
5 **dar un paseo** to go for a walk
6 **Usted está en su casa** Make yourself at home
7 **cómodo** comfortable
8 **los muebles** furniture
9 **por lo que acaba de decir** for what you have just said

(*Alicia trae el café y les ofrece a todos una taza*).[10]

— El café está delicioso, Mrs. Jones. ¿ De qué clase es ?

— ¿ No lo sabe, Antonio ? Es café colombiano. Muy rico, ¿ verdad ?

— Lo sospechaba. El café de Colombia es tan suave, y tiene un aroma y un sabor[11] tan exquisitos...

— Usted es muy patriota. Alicia nos ha dicho que usted siempre habla bien de su tierra y sus productos.

— Es natural, Mrs. Jones. Colombia es un país muy hermoso, y su café...

— Es el mejor del mundo, ¿ eh ?

— Sin duda, Mr. Jones. También Guatemala produce excelente café, pero como el colombiano no hay ninguno.

VOCABULARIO SUPLEMENTARIO

el abuelo grandfather
la abuela grandmother
el cuñado brother-in-law
el esposo (la —a) husband, wife
el nieto grandson
el parentesco relationship
el pariente relative
el primo cousin
el sobrino nephew
el suegro father-in-law

PREGUNTAS

A

1. ¿ Quién es Antonio Molina ? 2. ¿ De dónde es Antonio ? 3. ¿ Quiénes son los padres de Alicia ? 4. ¿ Quién es su hermano ? 5. ¿ Dónde vive la familia ? 6. ¿ Quién presentó a Antonio ? 7. ¿ Con quién salió Roberto Jones a dar un paseo ? 8. ¿ Cómo le parece la sala al joven colombiano ? 9. ¿ Qué dice Antonio del café ? 10. ¿ Qué países producen café suave ?

B

1. ¿ Cuántos son (hay) en la familia de usted ? 2. ¿ Quiénes son sus padres de usted ? 3. ¿ En qué parte de la ciudad vive la familia de usted ? 4. ¿ Cómo se llama el padre de usted ? 5. ¿ Cuántos hermanos tiene usted ? 6. ¿ Son cómodas las casas americanas ? 7. ¿ Es grande la casa donde vive usted ? 8. ¿ Cuáles son los cuartos principales de la casa de usted ? 9. ¿ Qué hay en la sala de su casa ? 10. ¿ Dónde lee usted los periódicos cuando está en casa ?

[10] **la taza** cup

[11] **el sabor** flavor

ESCENAS DOMÉSTICAS

I. *En la cocina:* el refrigerador, la estufa eléctrica, el horno, la tetera, el radiador, el lavadero, las llaves del agua, los trastos, encerando el piso.

II. *En la sala:* limpiando los vidrios (cristales), el trapo, el jabón, quitando el polvo, la silla mecedora, el limpiadero eléctrico, el alambre, el enchufe, enchufar.

III. *En el cuarto de servicio:* la estufa, el cargador, el calentador, la máquina de lavar, la exprimidera, la tina, lavando la ropa, la tabla de planchar, la plancha, planchando la ropa.

IV. *Fuera de la casa:* la cortadora, la hierba, la manga (manguera) de regar, la cuerda de tender (colgar, secar) la ropa, el bote, la cerca, la puerta, el lechero.

PREGUNTAS

A

I. 1. ¿ Qué representa este grabado ?
2. ¿ Qué se ve en él ?
3. ¿ Qué está haciendo la dueña de casa ?
4. ¿ Qué hace la niña ?
5. ¿ Con qué está la mamá lavando los platos ?
6. ¿ Qué se ve encima de la estufa ?

II. 1. ¿ A quiénes ve usted en esta ilustración ?
2. ¿ Quiénes le están ayudando a su mamá ?
3. ¿ Qué está haciendo la niña ?
4. ¿ Con qué está el joven limpiando el piso ?
5. ¿ Qué hace la mamá ?
6. ¿ Qué muebles hay en esta sala ?

III. 1. ¿ Qué representa este cuadro ?
2. ¿ Qué se ve en él ?
3. ¿ Qué está haciendo la señora de la casa ?
4. ¿ Qué hace su hija ?
5. ¿ Es éste un cuarto de servicio ?
6. ¿ Es moderno ? ¿ Por qué lo dice usted ?

IV. 1. ¿ Cuántas personas se ven en este grabado ?
2. ¿ Qué hace el lechero ?
3. ¿ Con qué corta la hierba el joven ?
4. ¿ Está alguien regando el prado ?
5. ¿ Qué hay en la cuerda de colgar la ropa ?
6. ¿ En qué trae la leche el lechero ?

B

1. ¿ Le ayuda usted a su mamá en la casa ?
2. ¿ Con qué se lavan los platos ?
3. ¿ Le gusta a usted encerar los pisos ?
4. ¿ Es necesario limpiar la casa a menudo ?
5. ¿ Dónde se plancha la ropa ?
6. ¿ Qué hace usted fuera de la casa para ayudar a su cuidado ?
7. ¿ Lava usted en casa toda su ropa ?
8. ¿ Qué hace usted con la manga (manguera) de regar ?
9. ¿ Lava usted su automóvil ?
10. ¿ Para qué se cuelga la ropa en la cuerda ?

UN PUEBLO

6

LECCIÓN SEXTA

—Antonio, tú naciste en Malaguita, ¿ verdad ?

—Sí, Alicia.

—¿ Un pueblo bonito y romántico ?

—Sí, y muy pintoresco. Con sus trescientas casas agrupadas[1] al rededor del[2] templo, y sus árboles, montañas y campos bien cultivados, y su cielo tan alto y tan azul, Malaguita, desde lejos,[3] parece un sueño . . .

—¿ Y de cerca ? [4]

—No tanto. Las casas son bajas, y las calles . . . ¡ Oh, qué calles ! Son todas muy estrechas,[5] ninguna tiene pavimento, y en ellas se ven sólo burros, perros y gallinas,[6] y a veces algunas mujeres que andan como sombras.

—¿ No hay vida allí ?

—Por supuesto. Malaguita tiene doce mil habitantes. De éstos unos dos mil viven en el pueblo. Los demás viven en el campo, y sólo vienen al pueblo los domingos, que son días de fiesta y de mercado.[7]

—¿ Y qué hacen los del pueblo ?

—Viven y trabajan en sus casas, tiendas y talleres. Sin embargo, el pueblo es muy quieto y silencioso.

—¿ Trabajan sin hacer ruido ?

—¿ Para qué ? . . . En nuestros pueblos la gente trabaja despacio[8] y sin hacer ruido. Allí nadie trabaja sólo para ganar mucho dinero, como en las ciudades americanas. La vida de nuestros pueblos es quieta y encantadora.[9]

—Sin duda, pero yo prefiero la vida intensa de nuestras ciudades. La vida es actividad, Antonio.

[1] **agrupar** to group, cluster
[2] **al rededor de** around
[3] **desde lejos** from afar
[4] **de cerca** at short distance
[5] **estrecho** narrow
[6] **la gallina** chicken
[7] **el día de mercado** market day
[8] **despacio** slowly
[9] **encantador** charming, delightful

— ¿ Y el *romance* ? . . .
— Eso depende, Antonio . . .

PREGUNTAS

A

1. ¿ Es Malaguita un pueblo o una ciudad ?
2. ¿ Cuántas casas hay en Malaguita ?
3. ¿ Cómo están sus casas en relación con el templo ?
4. ¿ Cómo son las casas del pueblo ?
5. ¿ Cómo son sus calles ?
6. ¿ Qué se ve en ellas ?
7. ¿ Cuántos habitantes tiene Malaguita ?
8. ¿ Viven en el pueblo todos sus habitantes ?
9. ¿ Dónde trabajan los que viven en el pueblo ?
10. ¿ Es encantadora la vida quieta de Malaguita ?

B

1. ¿ Vive usted en un pueblo ?
2. ¿ Dónde vive usted ?
3. ¿ En qué ciudad vive usted ?
4. ¿ Hay burros en las calles de la ciudad donde vive usted ?
5. ¿ Anda usted en automóvil o en burro ?
6. ¿ Vive usted para trabajar ?
7. ¿ Qué vida prefiere usted ?
8. ¿ Por qué trabaja usted ?
9. ¿ Qué hace usted ?
10. ¿ Trabaja usted en un taller ?

EJERCICIOS

I. *En cada grupo de palabras hay una que no pertenece. ¿ Cuál es ?*
   a. la escuela, la población, la ciudad, el pueblo, la aldea.
   b. el teatro, el templo, el baile, el campo de recreo, el cine.
   c. el abuelo, el primo, el suegro, el novio, el nieto.
   d. el caballo, el burro, la gallina, el perro, el automóvil.

II. *Conversation.* Discuss the ways in which Malaguita differs from a typical town of the United States.

EL PUEBLO

1. **el tejado** tile-roof
2. **el toldo (toldillo)** awning
3. **el escalón** step
4. **la gallina** chicken
5. **la carga** load
6. **el burro** burro (donkey)
7. **el perro** dog
8. **el cántaro** jug
9. **la cesta** basket
10. **la pila (fuente)** fountain
11. **los bueyes** oxen
12. **la acera** sidewalk
13. **el portal** portico
14. **la reja** barred window
15. **el balcón** balcony
16. **la campana** bell

PREGUNTAS

A

1. ¿ Es ésta una calle de una ciudad norteamericana ?
2. ¿ Cuántas casas hay en ella ?
3. ¿ Cuál de las casas tiene portales ?
4. ¿ Tienen balcones todas las casas ?
5. ¿ Cuántos balcones se ven en las casas ?
6. ¿ Qué casa tiene un toldillo ?
7. ¿ En qué casa hay campanas ?
8. ¿ Cuántas campanas hay ?
9. ¿ Quién está sentado en uno de los escalones de la escalera ?
10. ¿ Qué tiene el burro encima ?
11. ¿ Cuántos bueyes se ven en esta calle ?
12. ¿ Quién está junto a los bueyes ?
13. ¿ Qué lleva en el brazo la mujer que está cerca de la pila (fuente) ?
14. ¿ Qué ha puesto la mujer en la pila ?
15. ¿ Qué otros animales hay en esta calle además de los bueyes ?
16. ¿ Qué horas son según el reloj de la casa principal ?
17. ¿ Cuántos árboles se ven en este cuadro ?
18. ¿ Cuántas personas van por la acera de esta calle ?

B

1. ¿ Ha visto usted un pueblo español ?
2. ¿ Se ven burros en las calles de las ciudades americanas ?
3. ¿ Hay fuentes en las calles de su ciudad ?
4. ¿ Hay fuentes en los parques de su ciudad ?
5. ¿ Dónde bebe usted agua si tiene sed y está en la calle ?
6. ¿ Se usan aquí los toldillos ? ¿ Cuándo ?
7. ¿ Se usan los toldillos en (el) invierno ?
8. ¿ Se usan mucho los toldillos en California ? ¿ Por qué ?
9. ¿ Ha visto usted bueyes en las calles de su ciudad ?
10. ¿ Hay balcones en la casa de usted ?
11. ¿ Sale usted al balcón ?
12. ¿ Salen al balcón las muchachas mexicanas ? ¿ Cuándo salen ?
13. ¿ Tienen rejas las ventanas de su casa ?
14. ¿ En qué países tienen rejas las ventanas ?
15. ¿ Por dónde anda usted cuando va por la calle ?
16. ¿ Es bueno andar siempre por las aceras ? ¿ Por qué ?
17. ¿ Anda usted por la calle ?

7

LECCIÓN SÉPTIMA

— ¿ Y dices, Antonio, que en Malaguita hay personas que no hacen nada ?

— Sí, Alicia. Hay quienes prefieren la vida tranquila. Escucha: Un día iba yo muy cansado, con una cesta en la mano, llena de frutas. Como la cesta pesaba mucho, y mi casa estaba en una loma [1] y muy lejos, me le acerqué a un hombre que dormía junto a la iglesia, y lo desperté diciéndole:

— Buenos días, amigo.

— Buenos . . . ¿ Qué se le ofrece ? [2] — me respondió.

— ¿ Quiere llevarme esta cesta ? Le pago un peso por el favor.

— No, gracias, señor, no se la puedo llevar.

— ¿ Por qué ? ¿ Está enfermo ?

— No, señor, es que [3] no tengo tiempo.

— ¿ Y qué hace usted ?

— ¿ Yo ? . . . Nada, señor, nada.

— Entonces ¿ por qué no quiere ganarse un peso ? ¿ No tiene usted ambición ? ¿ Por qué no trabaja ?

— ¿ Trabajar ? . . . ¿ Y para qué ?

— Para ganar dinero e ir a la ciudad.

— ¿ A qué,[4] señor ?

— Lo verá usted: En la ciudad podrá ganar mucho dinero, y si lo ahorra [5] podrá volver al pueblo, y podrá descansar el resto de su vida . . .

— ¿ Cómo es eso, señor ? Usted dice que si trabajo podré ir a la ciudad; que si allá gano mucho dinero y lo ahorro, podré volver al pueblo y descansar. ¿ No es así ? Pues usted no me convence. ¿ No ve usted, amigo, que aquí en el pueblo yo vivo siempre descansando ? . . . Vea, señor, lo mejor es que me deje usted solo y tranquilo.

[1] **la loma** hill, slope
[2] **¿ Qué se le ofrece ?** What can I do for you?
[3] **es que** the fact is that
[4] **¿ A qué ?** Why, what for?
[5] **ahorrar** to save

Y el hombre se echó a dormir [6] otra vez, y yo tuve que seguir con la cesta, meditando . . .

PREGUNTAS

A

1. ¿ Por qué estaba cansado Antonio ?
2. ¿ Qué llevaba en la mano ?
3. ¿ Dónde estaba su casa ?
4. ¿ Dónde dormía el hombre ?
5. ¿ Qué hizo Antonio al verlo ?
6. ¿ Estaba enfermo el hombre ?
7. ¿ Por qué no quiso llevarle a Antonio la cesta ?
8. ¿ Era ambicioso el hombre ?
9. ¿ Es preciso trabajar para ganar dinero ?
10. ¿ Qué le pidió el hombre a Antonio ?
11. ¿ Convenció Antonio al hombre ?
12. ¿ Quién llevó la cesta a casa de Antonio ?

B

1. ¿ Vive usted lejos de la ciudad ?
2. ¿ Compra usted muchas cosas cuando va a la ciudad ?
3. ¿ Lleva usted a casa lo que compra ?
4. ¿ Va usted al mercado ?
5. ¿ Cómo se gana usted la vida ?
6. ¿ Trabaja usted mucho para ganarse la vida ?
7. ¿ Gana usted mucho dinero ?
8. ¿ Trabaja usted todo el día ?
9. ¿ Cuántas horas trabaja usted al día ?
10. ¿ Le gusta a usted descansar ?
11. ¿ Es bueno descansar ?
12. ¿ Cuándo descansa usted ?

EJERCICIO

Emplee usted estos modismos en oraciones originales: tener mucho frío; hace sol; ¿ qué tal ?; ahora mismo; pasar lista; dar a; acabo de decir; ¿ qué se le ofrece ?; echarse a dormir.

[6] **echarse a dormir** to start to sleep

EN LA TIENDA DE COMESTIBLES[1]

8

LECCIÓN OCTAVA

—Mira, Pedro. No tenemos nada que comer, y tú tendrás que ir conmigo a la tienda de comestibles.

—¿A la tienda de comestibles? . . . ¿Cuándo?

—Ahora mismo.

—Pero, mamá . . . Yo tengo una cita con Alicia . . .

—Pues . . . ¡Que te espere! Si no vas conmigo a la tienda, te quedarás sin comer.

—¡Ah, *mother dear,* en ese caso iré contigo a donde tú quieras!

> (*En la tienda Mrs. Firestone le da una cesta a su hijo, y comienza a examinarlo todo. Pedro la sigue sin decir nada, como un perrito obediente. Un dependiente*[2] *se le acerca*).

—Buenas tardes, mi señora. ¿Qué desea usted?

—En primer lugar, una libra[3] de mantequilla,[4] una botella[5] de leche,[6] una docena[7] de huevos,[8] y otra de panecillos.[9]

—Muy bien. ¿Y algunas frutas y legumbres?[10]

—Por supuesto. Media docena de naranjas,[11] otra de cebollas,[12] unas lechugas[13] y dos manojos[14] de zanahorias.[15]

—¿Y quizá unas chuletas[16] de cordero?[17] . . . Vea usted, mi señora. Son de primera calidad. Chuletas como éstas no las hay en otras tiendas.

[1] **los comestibles** food, groceries
[2] **el dependiente** clerk
[3] **la libra** pound
[4] **la mantequilla** butter
[5] **la botella** bottle
[6] **la leche** milk
[7] **la docena** dozen
[8] **el huevo** egg
[9] **el panecillo** roll
[10] **la legumbre** vegetable
[11] **la naranja** orange
[12] **las cebollas** onions
[13] **las lechugas** lettuce
[14] **el manojo** bunch, handful
[15] **las zanahorias** carrots
[16] **la chuleta** chop
[17] **el cordero** lamb

—Sí, parecen buenas. Déme usted dos, o mejor,[18] tres, porque a mi Pedro le gustan mucho.

(*Pedro sonríe al oír lo que dice su mamá, y mirando el tocino*[19] *siente que la boca se le vuelve agua*).[20]

—El señor desea un poco de tocino, ¿ verdad ?

—Pues yo . . . ¿ Qué dices tú, mamá ?

—¡ Pedro Firestone ! . . . ¡ No, no ! La semana pasada comiste bastante tocino. Lo que ahora necesitas es comer legumbres y frutas. ¡ Nada de tocino ! [21]

VOCABULARIO SUPLEMENTARIO

Legumbres

la col (el repollo) cabbage
los guisantes peas
el nabo turnip
las papas (patatas) potatoes
el rábano radish
la remolacha beet

Frutas

la cereza cherry
el durazno peach
la fresa strawberry
el limón lemon
la manzana apple
el melón melon, cantaloupe

Carnes

la carne de res beef
la carne de ternera veal
el filete steak
el jamón ham

PREGUNTAS

A

1. ¿ Quién es la madre de Pedro ?
2. ¿ Por qué tiene Pedro que ir a la tienda con su madre ?
3. ¿ Qué le da en la tienda Mrs. Firestone a su hijo ?
4. ¿ Quién se le acerca a la señora ?
5. ¿ Qué compra primero Mrs. Firestone ?
6. ¿ Qué clase de carne compra la señora ?
7. ¿ Dónde pone ella lo que compra ?
8. ¿ Por qué se le vuelve la boca agua a Pedro ?
9. ¿ Por qué no compra tocino la señora ?
10. ¿ Es Pedro un muchacho muy obediente ?

[18] **o mejor** or rather
[19] **el tocino** bacon
[20] **la boca se le vuelve agua** his mouth waters
[21] **¡ Nada de tocino !** No bacon at all!

B

1. ¿ Compra usted comestibles ?
2. ¿ Dónde los compra ?
3. ¿ Qué come usted ?
4. ¿ Es bueno comer frutas y legumbres ?
5. ¿ Le gusta a usted la carne ?
6. ¿ Come usted en las tiendas ?
7. ¿ Come usted carne todos los días ?
8. ¿ Qué carne le gusta más ?
9. ¿ Qué frutas prefiere usted ?
10. ¿ Le gustan a usted las chuletas de cordero ?
11. ¿ Come usted jamón al desayuno ? [22]
12. ¿ Come usted tocino ?
13. ¿ Cuándo lo come ?
14. ¿ Cuándo se le vuelve a usted la boca agua ?
15. ¿ Le gustan a usted las fresas ?

EJERCICIOS

I. *En cada grupo de palabras hay una que no pertenece. ¿ Cuál es ?*
   a. el tocino, el filete, el jamón, la zanahoria, el cordero.
   b. la cereza, la col, la naranja, la manzana, la fresa.
   c. los guisantes, el durazno, las cebollas, las papas, el rábano.
   d. trabajar, estudiar, ganar dinero, andar, descansar.

II. *Conversation.* One student, as a customer, asks for several articles which are sold in a grocery store. Another student, as the clerk, tells him the prices, asks about the amounts wanted, etc.

[22] **el desayuno** breakfast

LA CRIOLLITA

GRAN TIENDA de COMESTIBLES y ABARROTES

artículos de primera calidad importados y del país

Precios Módicos

gran surtido:

Legumbres, frutas y carnes.
Pescado de mar y de río, fresco y en latas.
Leche, mantequilla y quesos de todas clases.
VINOS, DULCES, GALLETAS y CIGARRILLOS
CEREALES AMERICANOS
TODO LO QUE USTED QUIERA

COMPRE USTED EN LA CRIOLLITA

ES LO MEJOR

LA CRIOLLITA

Grocery stores in Spanish America do not advertise in the newspapers. Instead, they place on the outside walls of their stores advertisements similar to this one.

LA TIENDA DE COMESTIBLES

1. **el mostrador** counter
2. **los bananos (plátanos)** bananas
3. **las frutas** fruits
   toronjas grapefruit
   naranjas oranges, **limones** lemons
   manzanas apples, **peras** pears
4. **legumbres** vegetables
   rábanos radishes
   repollos cabbage
   apio celery, **lechugas** lettuce
5. **papas (patatas)** potatoes
   cebollas onions
   zanahorias carrots
6. **el pan** bread
7. **los pasteles** pastry
8. **el queso** cheese
9. **los sacos de azúcar** sacks of sugar
10. **las cajas de jabón** packages of soap
11. **la caja** cash register
12. **el refrigerador** refrigerator
    mantequilla butter, **leche** milk
    crema cream, **gaseosas** soda-water
13. **la báscula (de resorte)** scales
14. **los huevos** eggs

PREGUNTAS

1. ¿ Qué clase de tienda es ésta ?
2. ¿ Qué se vende en una tienda de comestibles ?
3. ¿ Cuántas personas hay en la tienda ? ¿ Quiénes son ?
4. ¿ Hay dos clientes en la tienda ?
5. ¿ Qué hay en el mostrador de la izquierda ?
6. ¿ Qué hay en el mostrador de la derecha ?
7. ¿ Qué hay en el mostrador del fondo ?
8. ¿ Dónde está el dueño de la tienda ?
9. ¿ Qué hay en los estantes del fondo ?
10. ¿ Qué hay encima de ellos ?
11. ¿ Hay algo en la báscula ?
12. ¿ Para qué sirve una báscula ?
13. ¿ Ha comprado algo la parroquiana ?
14. ¿ Es vieja la parroquiana ?
15. ¿ Cuántos años tiene ?
16. ¿ Cuántos (años) tiene el dueño ?
17. ¿ Está el dueño detrás o delante del mostrador ?
18. ¿ Dónde está la parroquiana ?
19. ¿ Qué cosas ha comprado la parroquiana ?
20. ¿ Dónde están las frutas ?
21. ¿ Hay bananos (plátanos) en el mostrador de la derecha ?
22. ¿ Dónde hay pan ?
23. ¿ Dónde están las cajas de jabón ?
24. ¿ Está la leche en la báscula ?
25. ¿ Para qué se pone la leche en el refrigerador ?
26. ¿ Hay huevos frescos en esta tienda ?
27. ¿ Qué hay en la caja ?
28. ¿ Para qué sirve la caja en una tienda ?
29. ¿ Qué está haciendo el dueño de la tienda ?

---

15. **los comestibles** groceries
harina flour, **galletas** crackers
mayonesa mayonnaise
latas (tin) cans; **cereales** cereals
grasa o manteca shortening

16. **el dueño** proprietor, owner

17. **la parroquiana** customer

18. **el carrito (la carretilla)** cart

EN "LA CRIOLLITA"

9

LECCIÓN NOVENA

—Sí, Alicia, en *La Criollita.* Es una tienda mexicana donde "se vende de todo,"[1] como dice Antonio Molina, que la descubrió la semana pasada.

—¿ De veras ? Ese Antonio . . .

—Es un tonto.

—¡ Ay, Pedro, no digas eso ! Antonio es una alhaja.[2]

—Es lo que tú crees. ¡ Oh, el *romance* . . . ! ¡ Bah ! . . .

—¿ Y la tienda ? ¿ Crees tú que allá podremos comprarlas ?

—¿ Por qué no ? Además, en *La Criollita* podremos practicar nuestro español.

—El mío dirás, porque el tuyo . . .

(*Alicia y Pedro van a La Criollita. El dueño, que es muy gordo, los recibe con sonriente*[3] *cortesía*).

—Buenos días, señorita, señor . . .

—Buenos días.

—¡ Ah !, ustedes hablan español . . .

—Yo sí. Mi novio sólo un poquito.

—¿ Y qué desea la señorita ?

—Un manojo de caballos.

—¡ Un manojo de caballos ! Pero, señorita, aquí . . . en verdad . . . caballos no tenemos, y los caballos no se venden por manojos. ¡ Ja . . . ja . . . ja ! . . . ¡ Ay !, usted perdone. No puedo contener la risa.[4] Por manojos . . . Ja, ja, ja . . .

—Y ésos no son manojos ?

—De cebollas, Alicia.

—¿ De cebollas, Pedro ?

[1] **se vende de todo** they sell you anything
[2] **la alhaja** jewel
[3] **sonriente** smiling
[4] **la risa** laughter, laugh

— Sí, señorita, como dice el señor.

— ¿ Y por qué no de caballos ? ¡ Oh, el español ! . . .

— Porque son cebollas, Alicia.

— ¡ Bah !

PREGUNTAS

A

1. ¿ Qué es *La Criollita?* 2. ¿ Quién descubrió esta tienda ? 3. ¿ Qué se vende en ella según Antonio? 4. ¿ Querían comprar algo Alicia y su novio ? 5. ¿ Dónde quería Pedro practicar el español ? 6. ¿ Quién es el dueño de *La Criollita?* 7. ¿ Cómo recibió el dueño a los dos jóvenes ? 8. ¿ Qué le pidió Alicia al dueño de la tienda ? 9. ¿ Por qué se rió el mexicano ? 10. ¿ Qué palabras confundió Alicia ?

B

1. ¿ Hay tiendas mexicanas en los Estados Unidos ? 2. ¿ En qué estados hay muchas ? 3. ¿ Desea usted practicar el español ? 4. ¿ Puede usted practicar el español sin hablarlo ? 5. ¿ Es bueno hablar para hablar ? 6. ¿ Ha comprado usted cebollas ? ¿ Dónde ? 7. ¿ Ha comprado usted caballos ? ¿ Dónde ? 8. ¿ Es bueno pronunciar bien las palabras para evitar errores ? 9. ¿ Es posible hacer faltas al hablar una lengua extranjera ? ¿ Es frecuente ? 10. ¿ Por qué es tan frecuente ?

EJERCICIOS

I. *Verdad o mentira que:* 1. Las naranjas, las fresas y las cerezas son frutas. 2. También son frutas la col, los guisantes y la remolacha. 3. Las remolachas y los guisantes son del mismo color. 4. Las fresas cuestan mucho en la primavera. 5. Por lo general, las zanahorias y los rábanos se venden por manojos. 6. Jamón con huevos es un plato favorito en los Estados Unidos.

II. *Conversation.* Ask a friend to go with you to the market, and tell him what you intend to buy there.

EN UN PATIO

10

LECCIÓN DÉCIMA

—Buenas tardes, doña Isabel.

—Buenas, don Antonio. Buenas tardes, señorita...

—La señorita Alicia Jones. Tengo mucho gusto en presentársela.

—Tanto gusto, señorita.

—Tanto gusto, doña Isabel.

—¿Y qué los trae por aquí, amigos?

—Alicia quería conocerla, doña Isabel, y ver este patio suyo, tan bonito y tan español.

—Mexicano, dirá usted, don Antonio. Así era el patio de mi casa de Puebla.

—¿Tan bonito, doña Isabel? . . . Hay aquí tanta luz y tanto aire puro, y árboles y flores. Y esa fuente, y sus lindos azulejos [1] de colores. Yo diría que este patio es un poema.

—Muchas gracias, señorita. No es tanto [2] . . . Pero a mí y a los míos nos gusta mucho. Aquí trabajamos y charlamos.[3] En las noches frescas comemos aquí, y a veces cantamos y bailamos [4] con nuestros amigos. Aquí vivimos al aire libre,[5] y gozamos de paz y de intimidad,[6] lejos del mundo y de sus ruidos inútiles y desagradables.[7]

—¿Y en Puebla hay muchos patios como éste, doña Isabel?

—Sí, señorita, muchos. En Puebla, en todo México . . .

—Y en todos los países de la América española, doña Isabel.

—¿De veras, don Antonio?

—Así es. Para los hispanoamericanos el patio es una necesidad. En ellos pasamos las mejores horas de la vida.

—¡Oh, qué bien lo comprendo! Doña Isabel, ¿me permite usted decirle algo muy personal?

[1] **los azulejos** tiles
[2] **No es tanto** Not quite that
[3] **charlar** to chat
[4] **bailar** to dance
[5] **al aire libre** in the open air
[6] **la intimidad** intimacy, privacy
[7] **desagradable** unpleasant

— A ver, diga usted, señorita.

— Pues yo quiero decirle que la casa de usted y su dueña se parecen:[8] por fuera[9] la casa es tan sencilla, tan severa . . . Pero por dentro[10] . . . ¡ Oh, doña Isabel, este patio es un poema !

— Gracias, señorita. Usted es muy amable.

PREGUNTAS

A

1. ¿ Con quién vino Antonio a visitar a doña Isabel ? 2. ¿ Dónde recibió doña Isabel a sus amigos ? 3. ¿ Qué es un patio ? 4. ¿ Es español o mexicano el patio de doña Isabel ? 5. ¿ De dónde es la señora ? 6. ¿ Qué hay en su patio ? 7. ¿ Qué hace en el patio la familia de doña Isabel ? 8. ¿ De qué se goza en un patio ? 9. ¿ Hay patios en las casas hispanoamericanas ? 10 ¿ Por qué se parece doña Isabel a su casa ?

B

1. ¿ Hay patios en las casas americanas ? 2. ¿ En qué estados son ahora populares los patios, en los del Sur o en los del Norte ? 3. ¿ Por qué no hay patios en los Estados del Norte ? ¿ Lo permite el clima ? 4. ¿ Le gustaría a usted tener un patio en su casa ? ¿ Por qué ? 5. ¿ Le gusta a usted el ruido ? 6. ¿ Le gusta a usted gozar de intimidad ? 7. ¿ Le gusta a usted vivir al aire libre ? 8. ¿ Se vive al aire libre en un patio ? 9. ¿ Es agradable estar al aire libre cuando hace mucho frío ? 10. ¿ Qué hace usted si desea estar al aire libre ? 11. ¿ Son frescos los patios ? ¿ Dónde ? 12. ¿ Hay patios en California ?

EJERCICIOS

I. *Combínese cada frase de A con otra de B para formar oraciones completas:*

a. Para los hispanoamericanos; en el patio; en las noches frescas; hay patios.

b. hay luz, aire puro, árboles y flores; en todos los países de la América española; los hispanoamericanos comen en el patio; el patio es una necesidad.

II. *Conversation.* Tell why a patio would be or would not be practical where you live.

[8] **parecerse** to resemble one another
[9] **por fuera** from the outside
[10] **por dentro** within, from within

UN PATIO

1. **la tinaja (el cántaro)** jug
2. **la gallina** hen
3. **el pollito** chick
4. **la fuente** fountain
5. **el perro** dog
6. **la muchacha** girl
7. **la maceta (el tiesto) de flores** vase
8. **haciendo calceta** knitting
9. **el arco** arch
10. **la jaula** cage
11. **el gato** cat
12. **el canario** canary

PREGUNTAS

A

1. ¿ Cuántas personas se ven en este grabado (cuadro) ?
2. ¿ Cuántas de ellas están sentadas ?
3. ¿ Dónde está sentada ?
4. ¿ Qué hace la señora que está sentada en la silla ?
5. ¿ Cuántos animales se ven aquí ?
6. ¿ Qué hay en este patio además de las personas y los animales ?
7. ¿ Dónde está el gato ?
8. ¿ Dónde está el canario ?
9. ¿ Qué animales están cerca de la fuente ?
10. ¿ Cuántos tiestos de flores hay ?
11. ¿ Hay árboles y flores en el patio ?
12. ¿ Qué hace la mujer cerca del gato ?
13. ¿ Qué hay en las tinajas ?
14. ¿ Qué hace la niña ?
15. ¿ Qué hace el niño ?

B

1. ¿ Ha visto usted un patio ? ¿ Dónde ?
2. ¿ Tiene patio la casa de usted ?
3. ¿ En qué países tienen patio las casas ?
4. ¿ Le gustaría a usted tener un patio en su casa ?
5. ¿ Qué hacen los españoles en el patio ?
6. ¿ Tiene usted una fuente en el jardín de su casa ?
7. ¿ Cría usted animales en su casa ?
8. ¿ Tiene usted gallinas y pollitos ?
9. ¿ Se permite tener gallinas en la ciudad ?
10. ¿ Le gustan a usted los gatos ?
11. ¿ Son buenos amigos los perros y los gatos ?
12. ¿ Cómo se llama el perro de usted ?
13. ¿ Tiene usted canarios en su casa ? ¿ Dónde los tiene ?
14. ¿ Por qué son tan populares los canarios ?
15. ¿ A quiénes les gustan mucho los gatos ?
16. ¿ Cultiva usted flores en el jardín ?
17. ¿ Le gustan a usted las rosas ? ¿ Las cultiva usted ?
18. ¿ Qué flores cultiva usted ?
19. ¿ Cuál es la más bella de las flores ?

11

LECCIÓN ONCE

—Don Enrique: Los estudiantes queremos[1] hablar español. ¿Cómo podremos practicarlo fuera de la clase?

—Es muy sencillo, Roberto: ¡organícense!

—¿En un club?

—O en un círculo, como dicen en España. Se organizan ustedes según los Estatutos que tengo yo; eligen una Mesa Directiva,[2] con su Presidente, su Vicepresidente, su Secretario-Tesorero y sus vocales;[3] se reúnen dos o tres veces a la semana, en sesiones ordinarias, y así podrán oír discursos y conferencias,[4] representar sainetes[5] y comedias, y charlar y discutir[6] cuanto quieran. Pero eso sí, todo en español. Yo les ayudaré. Les ayudarán también el Profesor Morales y los estudiantes españoles o hispanoamericanos que asisten a nuestro colegio.[7] ¿Qué le parece?

—¡Muy bien! ¿Y podremos tener fiestas y bailes, y dar paseos y comidas al aire libre?

—Por supuesto. Lo que gusten, siempre que sea razonable . . . ¿Por qué no les propone la idea a sus amigos y condiscípulos?[8]

—Se la propondré en seguida. Pero, ¿costará mucho organizar el club?

—No mucho. Todo será posible si los socios[9] cooperan con buena voluntad y entusiasmo. Uno para todos y todos para uno, ¿eh?

—Sí, señor Profesor. ¿Y cómo llamaremos el club?

—El nombre que convenga se lo darán ustedes en la primera reunión, en la cual usted podrá actuar[10] como Presidente interino.[11] ¿La tendremos muy pronto?

[1] **Los estudiantes queremos** We students wish
[2] **la Mesa Directiva** the Governing Board, Officers
[3] **el vocal** member of a governing body *(not ex officio)*
[4] **discursos y conferencias** talks and lectures
[5] **el sainete** one-act play
[6] **discutir** to discuss
[7] **colegio** secondary school
[8] **el condiscípulo** fellow student
[9] **el socio** member, partner
[10] **actuar** to act
[11] **interino** temporary

—A ver . . . ¿ El lunes que viene ?

—¡ Espléndido ! Aquí tiene usted los Estatutos. Son excelentes. Léanlos con cuidado, ¡ y a trabajar !

—Muy bien: Uno para todos y todos para uno, don Enrique. Hasta el lunes.

—Hasta el lunes, y buena suerte, Roberto.

VOCABULARIO SUPLEMENTARIO

el candidato candidate
el cargo office
el comité committee
el informe report, information
la mayoría majority
la minoría minority
la ponencia (proposición) motion
la votación vote, voting
el voto vote
votar to vote
se abre la sesión the meeting is called to order
se cierra la sesión the meeting is adjourned
pido la palabra I ask for the floor
tiene la palabra You have the floor

PREGUNTAS

A

1. ¿ Qué desean los estudiantes ? 2. ¿ Cómo pueden practicar el español fuera de la clase ? 3. ¿ Quiénes componen la Mesa Directiva de un círculo ? 4. ¿ Qué podrán oír los socios del club en sus sesiones (reuniones) ordinarias, y qué podrán representar ? 5. ¿ Quiénes podrán ayudarles ? 6. ¿ A quiénes les propone Roberto la idea de organizar un club español ? 7. ¿ Cómo les será fácil a los socios del club hacer lo que quieran ? 8. ¿ Quiénes le darán un nombre al círculo ? 9. ¿ Quiénes elegirán a los miembros de la Mesa Directiva ? 10. ¿ Qué le dió el Profesor Brown a Roberto ? 11. ¿ Para qué le dió los Estatutos ? 12. ¿ Cuándo va a tener lugar la primera reunión del club ?

B

1. ¿ Es usted socio de un club español ? 2. ¿ Por qué es bueno tener un club de español ? 3. ¿ Es difícil organizar un círculo español ? 4. ¿ Qué cargo tiene usted en el club ? 5. ¿ De qué comité es usted miembro ? 6. ¿ Quién abre las sesiones de un club ? 7. ¿ Ha sido usted Presidente de un club ? 8. ¿ Si usted quiere proponer algo en

el club, cómo lo hace? 9. ¿Qué le dice a usted el Presidente para darle el uso de la palabra? 10. ¿Cómo se acepta una ponencia (proposición)? 11. ¿Quiénes votan la ponencia? 12. ¿Cómo se acepta, por mayoría o por minoría de votos?

EJERCICIOS

I. *Verdad o mentira que:* 1. Los estudiantes organizan un club para poder hablar español fuera de la clase. 2. La Mesa Directiva consiste en el Presidente y el Secretario. 3. Se permite hablar inglés en las sesiones del club. 4. El profesor no promete ayudarles a los estudiantes. 5. En la primera reunión un estudiante actuará como Presidente interino. 6. No hay estatutos para el club.

II. *Conversation.*

1. The president of the club calls the meeting to order.
2. A student asks for the floor, and the president recognizes him.
3. The student makes several suggestions regarding the activities which will take place at the meetings of the club.
4. Another student objects to some of his suggestions.
5. The president has the students vote on the matter, announces the results, and adjourns the meeting.

PARA CANTAR

Dios guarde a América, tierra de paz,
Dios la libre y la guíe
Con su luz amorosa, eternal.
De los montes a los llanos,
De los valles a la mar,
Dios guarde a América, mi bien, mi hogar.

(Translation by C. G.-P.)

LA PRIMERA REUNIÓN

12

LECCIÓN DOCE

ROBERTO. — (*como Presidente interino, y agitando la campanilla*). Señores socios: Se abre la sesión. Procedamos a la elección de la Mesa Directiva de nuestro club, comenzando por la del Presidente. Cualquier socio puede ser propuesto para este cargo, como para todos los demás. ¿ Se propone un candidato ?

UN SOCIO. — Para Presidente, yo propongo a Roberto Jones.

ROBERTO. — Yo agradezco el honor, pero siento no poder aceptarlo.

OTRO SOCIO. — En este caso, yo propongo a John Smith.

OTRO SOCIO. — Yo apoyo la proposición (ponencia).

ROBERTO. — Se ha propuesto a John Smith. ¿ Hay otros candidatos ? (*Puede haber más, pero como ninguno propone otro:*) Se procede a la votación. Alcen [1] (levanten) la mano los que estén por John Smith. (*Roberto cuenta los votos*). El señor Smith ha obtenido la mayoría de los votos, y yo propongo que sea elegido por aclamación (unanimidad).

LOS SOCIOS. — ¡ Muy bien ! ¡ Bravo ! [2]

ROBERTO. — Mis felicitaciones, John. Tome usted posesión de su cargo, antes de continuar con las demás elecciones.

JOHN. — Muchas gracias.

> (*El señor Smith ocupa la silla del Presidente, y se hace la elección de Vice-presidente, Secretario-Tesorero, Vocales, y miembros de los Comités de Fiestas y Programas, de Noticias, de Relaciones y Publicidad, etc.*)

EL PRESIDENTE SMITH. — Señores socios: en nombre de mis colegas de la Directiva, los Vocales y los miembros de los Comités, y en el mío propio, les doy a todos las gracias por la elección, y les prometo que

[1] **alzar** to raise

[2] **¡ Bravo !** Hurrah!

todos trabajaremos por el éxito [3] de nuestro club. Y ahora, a darle un nombre.

UN SOCIO. — Yo propongo el nombre de *Los Comediantes.*[4] Como vamos a representar sainetes y comedias, este nombre será muy apropiado.

OTRO SOCIO. — Yo apoyo esta ponencia.

EL PRESIDENTE. — ¿ Se propone otro nombre ?

ALICIA. — Yo propongo el nombre de *La Estudiantina.*[5] Es un nombre original, muy bonito, y tan romántico . . .

PEDRO. — Yo apoyo esta proposición. Sí, *La Estudiantina* . . . ¡ Es tan romántico ! . . .

EL PRESIDENTE. — ¿ Se propone otro nombre ? . . . ¿ Ninguno otro ? . . . Bien: Sírvanse alzar (levantar) la mano los que estén por *Los Comediantes* . . . Señor Secretario: Sírvase contar los votos. (*El Secretario los cuenta*) . . . Los que estén por *La Estudiantina* . . . (*Se cuentan los votos*) . . . La mayoría desea que nuestro club se llame *La Estudiantina.* Naturalmente . . . Doña Alicia siempre se sale con la suya [6] . . . ¡ Magnífico ! Así se llamará. ¿ Hay otro asunto que discutir ?

ALICIA. — Sí, señor Presidente. Se ha dicho que el club tendrá dos o tres sesiones ordinarias a la semana. ¿ No es esto demasiado ? Una será suficiente. Yo propongo que sea una.

PEDRO. — Yo apoyo esta proposición.

LOS SOCIOS. — Sí, una nada más . . .

EL PRESIDENTE. — Muy bien. Tendremos sólo una . . . ¿ Hay otros asuntos que discutir ? . . . No habiendo otros se levanta (cierra) la sesión.

PREGUNTAS

A

1. ¿ Quién abrió la sesión del club ? 2. ¿ Cuántos candidatos hubo para la Presidencia del club ? 3. ¿ Por qué no fué elegido Roberto ? 4. ¿ Quién fué elegido por aclamación ? 5. ¿ Cuándo tomó posesión de su cargo el señor Smith ? 6. ¿ Cuántos nombres fueron propuestos

[3] **el éxito** success

[4] **el comediante** player, actor

[5] **La Estudiantina** Group of students

[6] **salirse con la suya** to have one's own way

para el club ? 7. Qué nombre obtuvo la mayoría de los votos ? 8. ¿ Es *La Estudiantina* un nombre apropiado para el club español ? 9. ¿ Le gusta a usted el nombre propuesto por Alicia Jones ? 10. ¿ Qué otro nombre le gustaría a usted ?

B

1. ¿ Tienen un club los estudiantes de este colegio o universidad ? 2. ¿ Es bueno organizar un club para practicar el español ? 3. ¿ Quién es el Presidente del club de usted ? 4. ¿ Es muy activo el club ? 5. ¿ Cuántos comités tiene su club ? 6. ¿ Cómo se elige a los miembros de la Mesa Directiva de un club ?

EJERCICIOS

I. *Combínese cada frase de A con otra de B para formar oraciones completas:*

a. Puesto que los estudiantes quieren hablar español fuera de la clase; en las sesiones; la sesión comienza con la expresión; el nombre de Los Comediantes será apropiado; la mayoría de los estudiantes desean que.

b. los estudiantes podrán oír discursos y conferencias; el club se llame La Estudiantina; el profesor les aconseja que organicen un club español; porque van a presentar comedias y sainetes; se abre la sesión.

II. *Make questions based on the following expressions, and ask members of the class to answer them:* comprar comestibles; un mercado mexicano; el patio; las ventajas de ser miembro del club español.

OTRA REUNION DEL CLUB ESPAÑOL

13

LECCIÓN TRECE

EL PRESIDENTE. — Se abre la sesión. Señor Secretario, sírvase leer el acta[1] de la sesión anterior. (*El Secretario la lee*) . . . ¿Hay enmiendas[2] que hacerle al acta leída? (*Se discuten las enmiendas, si las hay*) . . . ¿Se aprueba el acta? . . . Queda aprobada. Antes de presentar el programa de hoy (de esta noche), debo felicitar al Comité de Fiestas por su éxito, y quiero que el club oiga los informes[3] de otros comités.

UN SOCIO. — Pido la palabra, señor Presidente.

EL PRESIDENTE. — Tiene la palabra.

EL SOCIO. — Deseo informarles a todos que los Profesores Brown y Morales y don Antonio Molina le han obsequiado[4] al club varios libros y cuadros, y una valiosa[5] colección de discos de canciones y poesías[6] españolas e hispanoamericanas que nos serán muy útiles y entretenidas.[7]

EL PRESIDENTE. — En nombre del club les doy las gracias a los Profesores Brown y Morales, y a nuestro amigo Antonio, por tan buen obsequio.[8] ¿Hay otro informe?

ALICIA. — Señor Presidente, yo quiero decirles a todos que la semana entrante,[9] en el Teatro Granada, se proyectará[10] la famosa película[11] argentina *Martín Fierro.* Es una película hablada en español, en colores, y muy interesante. Pampas, gauchos,[12] caballos, aventuras . . . ¡Oh, dicen que es muy emocionante[13] y romántica! . . . El boleto

[1] **el acta** minutes
[2] **la enmienda** correction
[3] **el informe** report
[4] **obsequiar** to present
[5] **valioso** valuable
[6] **la poesía** poem
[7] **entretenido** entertaining
[9] **entrante** next
[8] **el obsequio** gift, present
[10] **proyectar** to show
[11] **película** film
[12] **el gaucho** cowboy
[13] **emocionante** thrilling

(la boleta)[14] sólo cuesta ochenta centavos. ¿Qué son ochenta centavos? ¿Iremos todos a verla?

EL PRESIDENTE. — Muy bien. *La Estudiantina* irá en masa a ver a *Martín Fierro.* ¿No hay más informes? . . . Como no los hay, presentaremos ahora nuestro programa, y después charlaremos un poco, y cantaremos también, si Alicia Jones nos lo permite . . .

ALICIA. — ¿Y por qué no? Para el canto,[15] yo soy una maravilla.

PEDRO FIRESTONE. — Cuando no desafinas,[16] Alicia . . .

PREGUNTAS

A

1. ¿Quién leyó el acta de la sesión anterior? 2. ¿Cuándo se aprueba el acta de una sesión? 3. ¿Qué hizo el Presidente del club antes de pedir los informes de los comités? 4. ¿Qué le obsequiaron al club los Profesores Brown y Morales y don Antonio Molina? 5. ¿Quién le informó al club acerca de *Martín Fierro*? 6. ¿Qué clase de película es *Martín Fierro*? 7. ¿Qué se ve en esta película? 8. ¿En qué teatro se va a proyectar le película? 9. ¿Cuánto cuesta el boleto (la boleta) de entrada en el Teatro Granada? 10. ¿Cómo irá *La Estudiantina* a ver la famosa película? 11. ¿Qué harán los socios del club después del programa? 12. ¿Es Alicia una "maravilla" para el canto?

B

1. ¿Habla usted mucho en el club español? 2. ¿Cuándo pide usted la palabra en las sesiones del club? 3. ¿A quién le pide usted la palabra? 4. ¿Cuándo se abre una sesión del club español? 5. ¿Cuándo se levanta (se cierra) una sesión? 6. ¿Es usted miembro de un comité del club español? 7. ¿Ha oído usted canciones españolas? 8. ¿Son populares aquí las canciones hispanoamericanas? 9. ¿Qué canciones hispanoamericanas ha oído usted? 10. ¿Qué canciones ha oído por la radio? 11. ¿No ha oído usted *Cielito lindo* o *Lo que será, será*? 12. ¿Qué otras canciones ha oído usted? 13. ¿Ha visto usted alguna película mexicana? 14. ¿Ha visto usted una película argentina? 15. ¿Puede usted aprender español en los teatros? ¿Cuándo?

[14] **el boleto** ticket
[15] **el canto** singing
[16] **desafinar** to be out of tune

LOS DEPORTES[1]

14

LECCIÓN CATORCE

—¿A los hispanoamericanos les gustan los deportes?

—Sí, cómo no.

—¿Y cuáles tienen?

—Muchos: el tenis, el polo, el beisbol...

—¡Alto ahí![2] ¿El *baseball,* nuestro deporte nacional?

—Sí, señor. En nuestros países ya se juega muy bien. ¿No sabe usted que son hispanoamericanos algunos de los famosos jugadores de las Ligas Americanas?

—¿De veras, Antonio?

—Como lo oye, Pedro. También tenemos famosos boxeadores, aunque el boxeo no goza de mucha popularidad entre nosotros.

—¿Y eso por qué?

—No sé. Nos parece brutal.

—¡Oh!... ¿Y qué me dice del golf?

—Algunos lo juegan, pero yo no.

—¿Por ser tan difícil?...

—¡No, no, por ser tonto! Mire usted que eso de[3] pasar la tarde persiguiendo una bolita[4] indefensa, y dándole con[5] un palo[6] hasta ponerla en un hoyito[7]... Eso es juego de viejos.

—Aquí lo juegan también los jóvenes. Alicia Jones, por ejemplo...

—¡De veras!... ¿Y qué placer podrá sentir persiguiendo una bolita?

—Es un misterio. Quizás el mismo que siente persiguiendo el *romance,* ¿eh?...

—¿Quién sabe?... Allá ella.[8] Yo prefiero el *fútbol,* deporte animado y viril. ¿No lo juegan ustedes?

—Por supuesto, Antonio. Es nuestro mayor deporte colegiado

[1] **el deporte** sport
[2] **¡Alto ahí!** Not so fast!
[3] **eso de** the idea of
[4] **la bolita** small ball
[5] **dar con** to hit
[6] **el palo** stick, club
[7] **el hoyito** small hole, "cup"
[8] **Allá ella** That's her affair

Justamente, el sábado que viene nuestro equipo[9] jugará con su rival más formidable. Será una partida[10] (un juego) muy emocionante. ¿Quiere usted ir a verla conmigo?

—Con mucho gusto. Pero le advierto que en mi tierra yo jugué mucho al *fútbol,* y que soy un experto...

—¡Espléndido! Así no tendré que explicarle nada. Conque[11]... ¿hasta el sábado, Antonio?

—Hasta el sábado, Pedro.

VOCABULARIO SUPLEMENTARIO

el baloncesta basketball
las carreras races
las carreras de caballos horseraces
la caza hunting
la equitación horsemanship
esquiar to ski
la natación swimming
patinar to skate
la pesca fishing
el salto jumping

PREGUNTAS

A

1. ¿Qué deportes hay en Hispano América? 2. ¿Juegan al tenis y al polo los hispanoamericanos? 3. ¿Se juega bien al *beisbol* en Hispano América? 4. ¿Hay hispanoamericanos en las Grandes Ligas del Norte? 5. ¿Juega Antonio Molina al golf? ¿Por qué no? 6. ¿Lo juega Alicia Jones? 7. ¿Qué deporte prefiere Antonio? ¿Por qué? 8. ¿Quiénes van a jugar al *football* el sábado que viene? 9. ¿Es el *football* un deporte colegiado? 10. ¿Es también un deporte profesional? 11. ¿Acepta Antonio la invitación de su amigo? 12. ¿Ha jugado Antonio al *football* o al *fútbol?* 13. ¿Qué diferencia hay entre estos dos juegos?

B

1. ¿Qué deporte prefiere usted? 2. ¿Juega usted al polo? 3. ¿Le gusta a usted el tenis? 4. ¿Hay buenos tenistas en Hispano América? 5. ¿Es popular el tenis en todo el mundo? 6. ¿Le gusta a usted la equitación? 7. ¿Ha visto usted las carreras de caballos? ¿Dónde? 8. ¿Dónde se juega al *football?* 9. ¿Dónde se juega al *fútbol?* 10. ¿Es popular la caza en todo el mundo? 11. ¿Lo es la pesca? 12. ¿Le gusta a usted ir a pescar? ¿Dónde? 13. ¿Le gusta ir a cazar? ¿Dónde? 14. ¿Quiénes son los campeones de *football* este año?

[9] **el equipo** team [10] **la partida** game, match [11] **conque** and so

ENTENDÁMONOS

15

LECCIÓN QUINCE

(Al comenzar la partida)

— ¿ Qué significa eso, Pedro ?

— ¡ Antonio ! ¿ No me dijo usted que era "un experto" en *football ?* ¿ Por qué esa pregunta ?

— Porque eso no es *fútbol.*

— Sí lo es, y de primer orden. Esa segunda jugada,[1] fué excelente.

— Pero esa bola que parece un huevo enorme . . . ¿ Qué pasó con ella ?

— La avanzamos seis yardas, por el centro. ¿ Le parece poco ?

— No. Yo de un cabezazo [2] la habría avanzado doce, y se la habría pasado al delantero [3] izquierdo.

— ¿ Pero qué dice usted ? Así no se juega, Pedro.

— ¡ Claro que sí !

— Entendámonos, Antonio. ¿ De qué juego habla usted ?

— Del *fútbol,* que se juega con los pies, el pecho y la cabeza, y no con las manos . . .

— ¡ Ah, ya comprendo ! Su *fútbol* es lo que aquí llamamos *soccer,* un juego de muchachos.

— ¡ De hombres, digo yo ! ¡ Y muy interesante !

— ¿ Tanto como nuestro *football ?* ¡ Imposible ! Pero, ¿ para qué discutir ahora ? El juego continúa . . . Tres yardas más . . . ¡ Bravo !

(Durante el intermedio)

— ¿ Cómo le parece ?

— Pedro, yo no he comprendido nada. De vez en cuando, una patada [4] . . . ¿ Y lo demás . . . ¡ Terrible ! Once hombrones [5] que se

[1] **la jugada** play
[2] **el cabezazo** butt, blow with the head
[3] **el delantero** forward
[4] **la patada** kick
[5] **el hombrón** big brute

les enfrentan[6] a otros once; uno que grita "Hep!," y luego veintidós bestias feroces que se acometen,[7] se tumban[8] y se amontonan[9] sin piedad[10]... ¡Bah!... En Colombia...

—Se juega al *soccer,* pero no al *football.* ¿Y no le ha gustado algo de la partida?

—Hombre, sí, el gentío,[11] y esos acróbatas...

—¿Los *cheer leaders?*

—Sí, justamente. ¡Qué saltos y contorsiones! Y los gritos de ¡*Rah . . . rah . . . rah!* ... Es admirable[12] eso de controlar a miles y miles de personas así, con saltos, contorsiones y *ra . . ra . . rás.* En mi país...

—¿No gritan en los juegos?

—Sí, cómo no, pero allá cada uno grita por su lado[13] y cuando le da la gana,[14] y aquí todos gritan al mismo tiempo y a compás.[15] Es lo más interesante del juego.

—¡No, qué va![16] Nuestro *football* es más que eso. No hay juego igual en el mundo, como lo verá algún día, Antonio. Si quiere saber en qué consiste, y se lo explicamos en todos sus detalles,[17] en pocos años podrá apreciarlo.

—¿En pocos años, Pedro?

—O en muchos, Antonio. Es un juego muy complicado y científico.

VOCABULARIO SUPLEMENTARIO

el ala wing
el campo field
el estadio stadium
el guardameta goalkeeper
la meta goal
el pase pass
el zaguero fullback, back

PREGUNTAS

A

1. ¿Quién convidó[18] a Antonio a una partida de *football?* 2. ¿En qué juego era "un experto" el joven colombiano? 3. ¿Dónde había

[6] **enfrentarse (a)** to face
[7] **acometer** to attack, go for
[8] **tumbar** to knock down
[9] **amontonar** to pile on
[10] **la piedad** mercy
[11] **el gentío** crowd
[12] **admirable** wonderful
[13] **por su lado** freely, at will
[14] **cuando le da la gana** when he feels like it
[15] **a compás** in rhythm, in unison
[16] **¡No, qué va!** Oh yeah?
[17] **el detalle** detail
[18] **convidar** to invite

jugado el joven al *soccer*? 4. ¿Cuántas yardas ganó el equipo de Pedro en la segunda jugada? 5. ¿Comprendió Antonio el juego de *football?* 6. ¿Por qué comprendió Pedro que Antonio no había jugado al *football* sino al *soccer?* 7. ¿Qué le pareció interesante a Antonio en la partida? 8. ¿Había mucha gente en la partida? 9. ¿Grita la gente en los juegos hispanoamericanos? 10. ¿Cómo gritan?

B

1. Los juegos de *soccer* y de *football* son diferentes. ¿Puede usted explicar algunas de las diferencias? 2. ¿Cuántos jugadores hay en una partida de *football?* 3. ¿Cuántos hay en una de *soccer?* 4. La bola que se usa en el *soccer* es redonda.[19] ¿Cómo es la que se usa en el *football?* 5. En el *soccer* la bola se puede tocar y avanzar sólo con los pies, el pecho y la cabeza. ¿Con qué se puede avanzar en el *football?* 6. En el *soccer* sólo el guardameta puede tocar la bola con las manos. ¿Quiénes pueden hacerlo en el *football?* 7. En los dos juegos se hacen pases. ¿Cómo se han de hacer en el *soccer?* ¿Cómo se hacen en el *football?* 8. ¿Se juega al *soccer* en todo el mundo? 9. ¿En México se juega también al *football,* o se juega al *football* sólo en los Estados Unidos? 10. En el Canadá hay un juego parecido al *football* y al *soccer*. ¿Cómo se llama este juego?

EJERCICIOS

I. *En cada grupo de palabras hay una que no pertenece. ¿Cuál es?*

a. el baloncesta, esquiar, el verano, patinar, el invierno.
b. las carreras de caballos, nadar, pescar, el otoño, el verano.
c. amontonarse, acometerse, tumbarse, el fútbol, el football.
d. la bola redonda, la bola que parece un huevo, el guardameta, el delantero, el fútbol.
e. los estatutos, pedir la palabra, tener la palabra, viajar, abrir la sesión.
f. el acta, la pesca, el boxeo, la natación, el salto.

II. *Verdad o mentira que:* 1. El beisbol es nuestro deporte nacional. 2. En los Estados Unidos se juega mucho al beisbol en el otoño. 3. El football es muy popular en la primavera. 4. El baloncesta es el deporte del invierno. 5. En el verano son muy populares las carreras de caballos.

III. *Conversation.* Tell what sports you prefer in each season.

[19] **redondo** round

PROYECTOS DE VIAJE

16

LECCIÓN DIEZ Y SEIS

ROBERTO. — ¡ Oh ! . . . Hace un año que estudiamos el español y todavía no lo hablamos bien. Es una lástima.

ALICIA. — Yo creo que no lo hablaremos nunca.

ENRIQUE. — No se desanimen ustedes, amigos. Para hablar español se necesitan tiempo, paciencia y muchos esfuerzos. *No se ganó Zamora en una hora*[1] . . .

ALICIA. — Es cierto, pero . . . ¿ No cree usted, don Enrique, que sería bueno ir a la América española ?

ENRIQUE. — Sin duda. Después de estudiar aquí uno o dos años, conviene entrar en contacto con muchas gentes de habla española, y ver y sentir su propia vida. La clase de español tiene una atmósfera un poco artificial, ¿ verdad ? . . . ¿ Por qué no hacen ustedes un viaje ? Este verano mi esposa y yo pensamos ir a Cuba y a México. ¿ Por qué no van con nosotros ?

ALICIA. — Es curioso . . . Yo no lo había pensado antes, y ahora lo veo claramente. Sí, don Enrique, la atmósfera de la clase es un poco artificial, y un viaje . . . ¡ Oh, yo he oído hablar tanto[2] de la América española ! ¿ No es el Brasil el país del amor y de la música ? Y Río de Janeiro . . . ¿ No es la ciudad más bella del mundo ?

ENRIQUE. — Eso se dice, pero Río está muy lejos, y allí no se habla español. Además, el Brasil no es el único país romántico de las Américas. ¿ Por qué no van con nosotros a Cuba y a México ? Juanita y yo iremos en tren hasta Miami, y ustedes podrían . . .

ALICIA. — ¡ Bravo ! Mi hermano Roberto y yo iremos con ustedes, y Pedro . . . ¿ Qué dices tú ?

PEDRO. — Alicia, Roberto y yo podremos ir en mi De Soto. "Es *Delicioso*" . . . En Miami nos embarcamos, y a la Habana. Después, en avión[3] iremos a México en pocas horas. ¿ No les parece ?

[1] **No se ganó Zamora en una hora** Rome wasn't built in a day

[2] **oír hablar tanto** to hear so much (said)

[3] **en avión** by plane

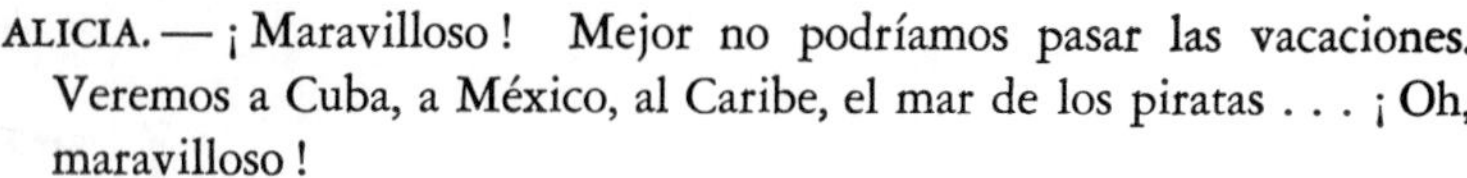

ALICIA. — ¡ Maravilloso ! Mejor no podríamos pasar las vacaciones. Veremos a Cuba, a México, al Caribe, el mar de los piratas . . . ¡ Oh, maravilloso !

PREGUNTAS

A

1. ¿ Desde cuándo estudian español Alicia y su hermano ? 2. ¿ Es fácil aprenderlo ? 3. ¿ Qué se necesita para aprender a hablar bien una lengua extranjera ? 4. ¿ Cómo es la atmósfera de la clase ? 5. ¿ Es bueno estudiar una lengua extranjera antes de ir al país donde se habla ? 6. ¿ Es el Brasil el único país romántico de las Américas ? 7. ¿ Cuál es la capital del Brasil ? 8. ¿ Cuál es la ciudad más bella de la América latina ? 9. ¿ Cuál es la ciudad más bella del mundo ? 10. ¿ A dónde piensan ir don Enrique y su esposa Juanita ? 11. ¿ Cómo piensan ir hasta Miami ? 12. ¿ Cómo irán Pedro, Alicia y su hermano ? 13. ¿ Es delicioso viajar en un De Soto ? 14. ¿ Dónde se embarcarán los cinco.

B

1. ¿ Por cuánto tiempo ha estudiado usted el español ? 2. ¿ Habla usted alguna lengua extranjera ? 3. ¿ Por qué estudia usted el español ? 4. ¿ Habla usted bien su propia lengua ? 5. ¿ Ha estado usted en Cuba ? 6. ¿ En qué países ha estado usted ? 7. ¿ Está Cuba al sur de California ? 8. ¿ Es Cuba una isla ? 9. ¿ En qué mar está ? 10. ¿ Desea usted hacer un viaje a México ? 11. ¿ Puede ir usted a México en automóvil ? 12. ¿ Cómo puede usted ir a Cuba ? 13. ¿ Ha viajado usted en avión ? 14. ¿ Se puede ir en avión a cualquier parte del mundo ?

EJERCICIOS

I. *Verdad o mentira que:* 1. La atmósfera de la clase es un poco artificial. 2. Para aprender a hablar bien una lengua extranjera conviene hacer un viaje al país donde se habla la lengua. 3. Río de Janeiro es la ciudad más grande de la Argentina. 4. Para ir a México hay que viajar en tren. 5. Cuba está en el mar Caribe. 6. El Caribe es el mar de los piratas.

II. *Conversation.*

a. Which foreign country would you prefer to visit? Why?

b. What means of transportation would you use to get there? Why?

c. How long would you like to stay there?

PREPARATIVOS[1] DE VIAJE

17

LECCIÓN DIEZ Y SIETE

PEDRO. — Don Enrique, ¿ cuánto (dinero) necesitamos para el viaje ?

ENRIQUE. — Unos mil dólares cada uno, en cheques del American Express.

PEDRO. — ¡ Mil dólares ! ¿ No es demasiado ?

ENRIQUE. — No, señor. Cada uno gastará unos quince dólares al día[2] si quiere gozar del viaje, y si viaja dos meses . . .

PEDRO. — Lo comprendo. ¿ Y qué más necesitamos ?

ENRIQUE. — Antes de partir, tenemos que hacernos poner inyecciones[3] contra la difteria, la tifoidea y la disentería. Y otra cosa: la fe de bautismo.[4] Si no, los cónsules no nos darán las tarjetas de turista[5] que necesitamos.

JUANITA. — ¡ Uf, cuántas cosas ! ¿ Y ropa no necesitamos ?

ENRIQUE. — Claro que sí,[6] querida.

JUANITA. — No seas tonto, Enrique. Te preguntaba porque no sé si debemos llevar ropa de invierno o de qué . . .

ENRIQUE. — De verano y de otoño, porque vamos a Cuba y a México.

JUANITA. — ¡ Espléndido ! Alicia y yo compramos ya lo que más queríamos: unos lindos trajes de baño, y otros de etiqueta[7] que son una creación. Dicen que en Cuba y en México las mujeres se visten muy bien, y es bueno mostrarles a ellas . . .

PEDRO. — ¿ A ellas ? ¿ Y por qué no a ellos ? . . . Y a propósito:[8] ¿ dónde está Alicia ?

ALICIA. — ¡ Presente ! ¿ Qué horas son ?

PEDRO. — Las cuatro, y aquí teníamos cita a las tres.

ALICIA. — ¡ Qué horror ! Pero *más vale tarde que nunca,* ¿ verdad ?

1 **Preparativos** Plans
2 **al día** a day
3 **hacerse poner inyecciones** to be inoculated
4 **la fe de bautismo** baptismal (birth) certificate
5 **la tarjeta de turista** tourist permit
6 **Claro que sí** Of course
7 **el traje de etiqueta** formal dress
8 **a propósito** by the way

Yo traté de venir a las tres, pero en el camino me encontré con[9] Antonio, ¿sabes? . . . Antonio insistió en que nos tomásemos unos helados,[10] y como a él le gustan tanto, no pude resistir la invitación. Pobre Antonio, es tan amable . . .

PEDRO. — Y como a ti no te gustan los helados . . .

ALICIA. — ¡Pedro, tú siempre tan sarcástico! Bueno, ¿y qué vamos a hacer ahora?

ENRIQUE. — Todo está casi listo. Usted, Roberto y Pedro irán en su automóvil. Juanita y yo iremos en tren. Tenemos reservados nuestros pasajes en el *Santa María,* que saldrá el martes a las seis de la tarde. ¿Estaremos todos allá en Miami el lunes, sin falta?[11] En Miami tendremos que obtener nuestras tarjetas de turista. No lo olviden.

PEDRO. — El lunes, sin falta, si a Alicia no se le ocurre ir a un baile el domingo . . .

ALICIA. — ¡Pedro, tú estás imposible!

PREGUNTAS

A

1. ¿Cuánto (dinero) necesita cada uno de los viajeros? 2. ¿Cuánto gasta cada viajero al día? 3. ¿Qué se necesita para ir a Cuba? 4. ¿Se necesita un pasaporte? 5. ¿Dónde se obtiene la tarjeta de visita para ir a Cuba? 6. ¿Dónde para ir a México? 7. ¿Qué clase de ropa se usa en Cuba? ¿Por qué? 8. ¿Hace calor en Cuba? 9. ¿Se necesita ropa de invierno en México? ¿Por qué no? 10. ¿Por qué no vino Alicia a las tres? 11. ¿Quién la invitó a tomarse unos helados? 12. ¿Dónde se encontró con Antonio? 13. ¿Qué trajes compraron Alicia y la esposa de don Enrique? 14. ¿En qué vapor[12] reservaron pasajes los cinco viajeros?

B

1. ¿Necesita usted dinero para viajar? 2. ¿Cuánto necesita gastar al día si quiere gozar de un viaje? 3. ¿Viaja usted en tren o en automóvil? 4. ¿En qué prefiere usted viajar, en tren o en avión? 5. ¿Lleva usted siempre un traje de etiqueta cuando viaja? 6. ¿Qué

[9] **encontrarse con** to run across
[10] **helados** ice cream
[11] **sin falta** without fail
[12] **el vapor** steamship

traje lleva usted cuando va a un baile? 7. ¿Qué traje se pone cuando se baña en el mar? 8. ¿Qué clase de ropa usa usted ahora? ¿Por qué? 9. ¿Hace calor ahora? ¿Hace frío? 10. ¿Viaja usted en invierno?

EJERCICIOS

I. *Verdad o mentira que:* 1. Antes de viajar al extranjero, uno debiera cambiar su dinero en cheques de viajeros. 2. No es preciso hacerse poner inyecciones ni presentar documentos para obtener un pasaporte. 3. Si uno va a Cuba, conviene llevar ropa de invierno. 4. Para ir a Cuba hay que viajar en vapor. 5. El viajero debiera comprar un traje de etiqueta antes de ir al extranjero.

II. *Conversation.* You are planning to go to Cuba for the summer. Tell how much money you will need for the trip. What clothes will you take with you? How do you plan to spend your time there?

EN AUTOMOVIL

18

LECCIÓN DIEZ Y OCHO

ROBERTO. — Si el coche sigue marchando bien llegaremos a Miami a eso de las tres. ¿ Quieres que maneje [1] yo ?

PEDRO. — Sí, Roberto. Me siento cansado, y ahora te toca a ti.[2]

ALICIA. — ¿ Y por qué no a mí ? Éste es el último día de viaje, y yo no he hecho más que dormir. No es justo.

ROBERTO. — ¿ Y por qué no ? Mira, Alicia: cuando tú duermes vamos seguros y nos cuesta menos. Cuando tú manejas . . .

ALICIA. — ¿ Qué ? Yo lo hago tan bien como tú. Además, el manejo [3] de un De Soto es muy sencillo: se da chispa,[4] se pisa [5] el acelerador, se quita el freno,[6] se aprieta [7] un botoncito,[8] y *¡ zoom ! . . .*

ROBERTO. — ¿ Y el volante ? [9]

ALICIA. — Ése lo manejo yo con los dedos, y aun con los ojos cerrados. Déjame y verás. Llegaremos a Miami sin contratiempos,[10] te lo aseguro.

* * *

PEDRO. — Alicia, no andes tan de prisa,[11] que nos está siguiendo un agente de tránsito.[12] ¡ Ah, pero ya es tarde !

ALICIA. — ¡ Ay, qué agente tan amable ! Ya está con nosotros.

EL AGENTE. — ¡ Alto, alto, pare usted !

ALICIA. — ¿ Pero qué pasa, señor agente ?

EL AGENTE. — Nada, señorita, nada . . . De acuerdo con la ley usted no debe andar a más de cincuenta millas por hora, y usted iba a setenta,

1 **manejar** to drive
2 **te toca a ti** it's your turn
3 **el manejo** driving, handling
4 **se da chispa** you turn on the ignition
5 **se pisa** you step on
6 **se quita el freno** you release the brake
7 **se aprieta** you press
8 **el botón (— cito)** button (little —)
9 **el volante** steering wheel
10 **el contratiempo** accident
11 **tan de prisa** so fast
12 **el agente de tránsito** traffic policeman

¿ comprende ? Esto le cuesta a usted cincuenta dólares de multa.[13] Con las leyes no se juega, señorita.

* * *

PEDRO. — ¡ Para el coche, Alicia, páralo, por Dios! [14]

ALICIA. — Bueno, ya está parado . . . ¡ Uy, qué susto ! [15]

ROBERTO. — ¿ Qué pasa ? . . . ¡ Un pinchazo ! [16] Es lo que yo me temía. Cuando Alicia maneja . . . ¡ Ah, si no fueras tan linda no sé qué haríamos contigo !

ALICIA. — Roberto, ¿ pero yo qué culpa tengo ? [17] En el camino había un montón de vidrios rotos,[18] y yo, naturalmente . . .

ROBERTO. — ¡ Pasaste por encima de [19] ellos !

ALICIA. — Sí pasé, pero eso ¿ qué tiene que ver con [20] el pinchazo ?

PEDRO. — Nada, señorita, nada . . . Roberto, vamos a poner la rueda de repuesto,[21] y después coge tú el volante, porque como Alicia maneja con los ojos cerrados . . . ¿ Quién sabe ? Puede hallar una roca [22] enorme en el camino, y naturalmente . . .

ALICIA. — Bueno ¿ y qué ? ¿ Qué significa un choquecito ? [23]

ROBERTO. — Nada, señorita, nada . . .

ALICIA. — ¡ Roberto Jones ! ¿ También tú ? . . . Si no fueras mi hermano, ¡ ahora mismo te mataría !

ROBERTO. — Eso no sería difícil. ¿ Quieres volver a manejar ?

VOCABULARIO SUPLEMENTARIO

conducir (guiar, manejar) to drive
exceder la velocidad permitida to exceed the speed limit
frenar (aplicar los frenos) to put on the brakes
el guardia (agente, policía, gendarme) policeman
la llanta (el neumático) está vacía (desinflada) the tire is flat
moderar la velocidad to slow down
remolcar to tow
el reventón blowout
el tráfico (tránsito, circulación) traffic
la velocidad excesiva excessive rate of speed

---

13 **la multa** fine
14 **¡ Por Dios !** for Heaven's sake!
15 **¡ qué susto !** what a scare!
16 **el pinchazo** puncture
17 **¿ qué culpa tengo ?** what have I done wrong?
18 **un montón de vidrios rotos** a pile of broken glass
19 **por encima de** over
20 **tener que ver con** to have to do with
21 **la rueda de repuesto** spare wheel
22 **la roca** rock
23 **el choque (— cito)** collision (slight —)

PREGUNTAS

A

1. ¿Marcha bien el De Soto? 2. ¿Quién lo va manejando? 3. ¿Cómo se siente Pedro? 4. Según Alicia, ¿es fácil manejar un De Soto? 5. ¿Por qué paró el coche el policía? 6. ¿Iba Alicia a una velocidad excesiva? 7. ¿Qué multa le impuso el guardia a Alicia? 8. ¿Por qué tuvo Alicia que parar el auto por segunda vez? 9. ¿Por encima de qué había pasado? 10. ¿Quiénes le pusieron la rueda de repuesto al coche?

B

1. ¿Es fácil guiar un automóvil? 2. ¿Sabe usted conducir un coche moderno? 3. ¿Qué hace usted cuando tiene un pinchazo? 4. ¿A qué velocidad anda usted en su coche? 5. ¿Qué clase de automóvil tiene usted? 6. ¿Qué sucede cuando se anda a una velocidad excesiva? 7. ¿Son amables los agentes de tránsito (tráfico, circulación)? 8. ¿Ha pagado usted una multa por andar demasiado de prisa? 9. ¿A qué velocidad puede usted andar según la ley? 10. ¿Es bueno obedecer las leyes de tránsito? 11. ¿Es delicioso viajar en automóvil? 12. ¿Lo es cuando son malos los caminos?

EJERCICIO

Conversation.

a. Tell how to start a car.
b. What are the speed limits in your city and state?
c. What happens if one is arrested for driving too fast?

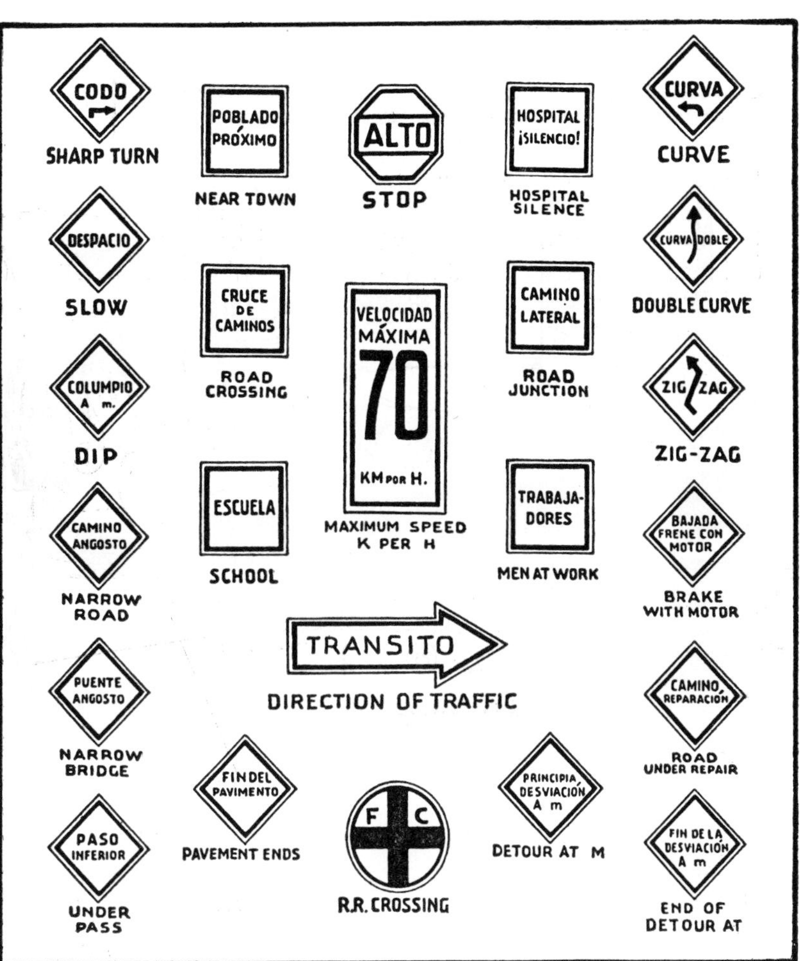

SEÑALES DE TRAFICO

Alto (on red light)	Stop
Siga (on green light)	Go
¡ Alto, Vea, Oiga !	Stop, look, listen
Camino transitable	Passable road
Peligro	Danger
Tome Vd. su derecha	Keep to the right
Seguridad ante todo	Safety first
Guarde Vd. su distancia	Keep your distance
Maneje Vd. con cuidado	Drive carefully
Empalme	Junction

EN LA ESTACIÓN DE GASOLINA

1. **el mozo de servicio** attendant
2. **las luces (lámparas, los focos)** lights
3. **el radiador** radiator
4. **la defensa (el parachoques, paragolpes)** bumper
5. **la rueda (de adelante, delantera; de atrás, trasera)** wheel (front, back)
6. **el guardabarro (parafango)** mudguard, fender
7. **la cubierta (tapa, el techo)** top, cover
8. **las latas de aceite** cans of oil
9. **la bomba** pump
10. **el medidor** meter
11. **la manguera (manga)** hose
12. **el tanque** tank
13. **la llanta (el neumático)** tire
14. **la placa** license plate

PREGUNTAS

A

1. ¿ Qué es una estación de gasolina ?
2. ¿ Por qué se llama también estación de servicio ?
3. ¿ Cómo se llaman las personas que sirven en estas estaciones ?
4. ¿ Qué hacen los mozos de servicio ?
5. ¿ Qué hace el mozo de la izquierda ?
6. ¿ Qué hace el de la derecha ?
7. ¿ Cómo limpia el parabrisas el mozo del centro ?
8. ¿ Con qué le pone gasolina al tanque el de la izquierda ?
9. ¿ Cuántos coches hay en la estación ?
10. ¿ Quiénes son los pasajeros del coche más cercano ?
11. ¿ Son modernos estos dos automóviles ?
12. ¿ Cuántas bombas se ven en este cuadro ?
13. ¿ Qué defensas (parachoques, paragolpes) se ven en estos coches ?

B

1. ¿ Tiene usted automóvil ?
2. ¿ Tienen automóvil todas las familias de los Estados Unidos ?
3. ¿ Cuántos automóviles hay en este país ?
4. ¿ Es preciso tener coche en este país ? ¿ Por qué ?
5. ¿ Cómo viene usted a la escuela ?
6. ¿ Sabe usted manejar un automóvil ?
7. ¿ Dónde compra usted gasolina cuando la necesita ?
8. ¿ Quién se la vende ?
9. ¿ Consume usted mucha gasolina ? ¿ Por qué ?
10. ¿ Consumen todos los automóviles la misma cantidad de gasolina ?
11. ¿ Puede usted comprar aceite en las estaciones de servicio ?
12. ¿ Qué protegen los parachoques de un automóvil ?
13. ¿ Qué hace usted cuando tiene un choque ?
14. ¿ Le pone usted gasolina a su coche cada vez que lo usa ?
15. ¿ Es preciso llenar el tanque del automóvil para poderlo usar ?
16. ¿ Cuántas millas anda usted en su automóvil con un galón de gasolina ?
17. ¿ Cuántos galones le pone usted si hace un viaje largo ?
18. ¿ Lleva usted sólo cuatro ruedas en su coche ?
19. ¿ Maneja usted su automóvil propio o el de su papá ?

EN LA ESTACIÓN DEL FERROCARRIL[1]

19

LECCIÓN DIEZ Y NUEVE

ENRIQUE. — Dispénseme,[2] señor. ¿ Podría usted decirme dónde está la estación ?

EL SEÑOR. — Con mucho gusto. Está muy cerca. Miren ustedes: sigan esta calle hasta la Cuarta Avenida; vuelvan a la derecha,[3] y sigan la Avenida dos cuadras (manzanas).[4] Ahí está la estación.

ENRIQUE Y JUANITA. — Muchas gracias.

EL SEÑOR. — Para servir a ustedes.[5]

* * *

ENRIQUE. — ¡ Uf, cuánta gente ! A lo mejor[6] nos vamos a quedar sin asientos.

JUANITA. — No seas pesimista, Enrique. Hay mucha gente, pero no todos serán viajeros. Algunos habrán venido a despedir a sus amigos y parientes. ¿ No crees tú ?

ENRIQUE. — Probablemente, Juanita. Mira, siéntate aquí en la sala de espera[7] mientras yo voy a la taquilla por los billetes (boletos).[8]

JUANITA. — Muy bien. Pero no te olvides de mí. Con esa memoria que tienes . . .

ENRIQUE. — No es tan mala. Dentro de pocos minutos estaré aquí a tu lado.

* * *

ENRIQUE. — Señor, déme usted dos billetes para Miami.

[1] **el ferrocarril** railroad
[2] **Dispénseme** Pardon me
[3] **a la derecha** to the right
[4] **la cuadra (manzana)** block
[5] **Para servir a ustedes** At your service
[6] **A lo mejor** The chances are
[7] **la sala de espera** waiting room
[8] **el billete (boleto)** ticket

EL TAQUILLERO. — ¿ Sencillos (de ida),[9] o de ida y vuelta ? [10]

ENRIQUE. — Sencillos, por favor. ¿ Cuánto valen ?

EL TAQUILLERO. — Ochenta dólares los dos. Aquí los tiene usted. ¿ No desea camas también ?

ENRIQUE. — Sí, señor, una baja y otra alta.

EL TAQUILLERO. — Muy bien. Valen ocho dólares las dos.

ENRIQUE. — ¿ A qué horas sale el tren para Miami ? ¿ Tenemos tiempo de comer algo ?

EL TAQUILLERO. — El tren sale a las seis en punto, y son las cinco y media. Si desea comer algo, puede hacerlo aquí en la estación. El servicio es excelente.

* * *

JUANITA. — ¿ Qué piensas hacer ahora, Enrique ? Yo quisiera comer algo.

ENRIQUE. — Yo también, Juanita, pero, ¿ y el equipaje ? [11] Tengo que hacer facturar [12] tu sombrerera [13] y dos maletas,[14] por lo menos. ¡ Oh, qué suerte ! Ahí viene un cargador.[15] ¡ Hola, mozo !

EL CARGADOR. — Sí, señor. ¿ Qué se le ofrece a usted ?

ENRIQUE. — Llévame estas dos maletas al tren, mientras yo hago facturar las otras dos y la sombrerera. Llévalas al coche número seis, camas diez y doce. Aquí tienes tu propina.[16]

EL CARGADOR. — Muchas gracias, señor. Las maletas las hallará en su puesto.

* * *

JUANITA. — ¿ Hiciste facurar las maletas, Enrique ?

ENRIQUE. — Por supuesto, y la sombrerera también. Aquí tienes los talones.[17] Si queremos comer algo, vamos al restaurante ahora mismo. Nos queda poco tiempo.

VOCABULARIO SUPLEMENTARIO

el andén platform **el baúl** trunk
el billete (boleto) con escalas ticket with stopover privilege
el bulto parcel, piece of baggage
el horario (itinerario, guía de ferrocarriles) timetable
el despacho de equipajes baggage room

---

[9] **Sencillos (de ida)** One-way
[10] **de ida y vuelta** round trip
[11] **el equipaje** baggage
[12] **hacer facturar** to have checked
[13] **la sombrerera** hatbox
[14] **la maleta** suitcase
[15] **el cargador** porter
[16] **la propina** tip
[17] **el talón** stub, check

PREGUNTAS

A

1. ¿Sabían Juanita y Roberto dónde estaba la estación? 2. ¿Quién les dijo dónde estaba? 3. ¿En qué avenida estaba? 4. ¿Había mucha gente en la estación? 5. ¿Dónde se sentó Juanita mientras su esposo fué a comprar los billetes? 6. ¿Qué clase de boletos compró don Enrique? 7. ¿Dónde los compró? 8. ¿Quién se los vendió? 9. ¿A qué horas salió el tren? 10. ¿Qué hizo don Enrique con el equipaje? 11. ¿Quién le llevó las maletas al tren? 12. ¿Dónde comieron Juanita y su esposo?

B

1. ¿Ha viajado usted en tren? 2. ¿Le gusta a usted viajar en tren? 3. ¿A dónde va usted cuando desea tomar (coger) un tren? 4. ¿Dónde compra usted los billetes? 5. ¿Lleva usted maletas o baúles cuando viaja? 6. ¿Qué hace usted si lleva mucho equipaje? 7. ¿Hay siempre mucha gente en las estaciones? 8. ¿Por qué hay tanta gente? 9. ¿Dónde duerme usted cuando viaja en tren? 10. ¿Cómo se llaman en los Estados Unidos los coches que llevan camas? 11. ¿Puede usted dormir bien en un Pullman? 12. ¿Qué cama prefiere usted, la baja o la alta?

EJERCICIOS

I. *En cada grupo de palabras hay una que no pertenece. ¿Cuál es?*

1. el tren, el coche, la ciudad, el avión, el vapor.
2. el pasaporte, el policía, la fe de bautismo, la tarjeta de turista, el certificado de buena conducta.
3. el acelerador, la taquilla, el volante, el freno, la llanta.
4. el pinchazo, el reventón, hacerse remolcar, pagar una multa, estar alegre.
5. el baúl, el volante, la sala de espera, el boleto, el equipaje.
6. la maleta, el horario, el baúl, la sombrerera, el bulto.

II. *Conversation.* You plan a trip to Europe. a. Tell what baggage you will take. b. Name the pieces of baggage which you will have checked. c. What type of ticket will you buy?

EN EL TREN

20

LECCIÓN VEINTE

JUANITA. — ¡ Ay, qué susto ! Por poco perdemos el tren.[1]

ENRIQUE. — ¡ Claro ! Como tú querías otra taza de café ...

JUANITA. — Es lo de siempre.[2] ¡ Yo tengo la culpa de todo ! Pero ya estamos aquí, y esto es lo que importa.

UN PORTERO. — Señores, ¿ qué asientos tienen ?

ENRIQUE. — Coche número seis, camas diez y doce.

EL PORTERO. — Muy bien. Sus asientos están listos. ¿ Desean ir al coche comedor,[3] o al coche salón ? [4] Allí podrán descansar.

ENRIQUE. — Gracias, amigo. ¿ Qué dices tú, Juanita ?

JUANITA. — Como tú quieras, Enrique.

* * *

UN MOZO. — Aquí, señores . . . Siéntense ustedes. La vista es muy hermosa.

JUANITA. — Gracias. ¡ Ah, qué rico ! [5] Aquí podemos descansar. La noche está tan fresca, y la vista es de veras muy hermosa, ¿ verdad, Enrique ?

ENRIQUE. — Tienes razón. ¿ No quieres otra taza de café ?

JUANITA. — No, gracias. Mira, Enrique, ahí viene el revisor (inspector).[6]

ENRIQUE. — ¡ Caracoles ! [7] . . . ¿ Y los billetes ? (*Comienza a buscarlos en todos los bolsillos*). ¿ Pero dónde los tengo ?

EL REVISOR. — ¡ Boletos, por favor ! [8]

(*Don Enrique sigue buscándolos, sin encontrarlos*)

EL REVISOR. — ¡ Boletos ! . . . ¿ Dónde tiene los suyos, señor ?

[1] **Por poco perdemos el tren** We almost missed the train
[2] **lo de siempre** the same old story
[3] **el coche comedor** dining car
[4] **el coche salón** parlor car
[5] **¡ Ah, qué rico !** Oh, how nice!
[6] **el revisor (inspector)** conductor
[7] **¡ Caracoles !** The deuce!
[8] **por favor** please

ENRIQUE. — Aquí, espere usted, por favor . . . No, no los encuentro.

EL REVISOR. — A ver, pronto . . . Sin boletos no se puede viajar en el tren.

ENRIQUE. — ¡ Válgame Dios ! [9] Si los compré en el despacho,[10] y los puse en la cartera.[11] Sí, señor Revisor.

EL REVISOR. — Ese cuento [12] lo he oído yo muchas veces. ¡ Boletos, por favor !

(En estos momentos Juanita abre su bolsa,[13] *y le entrega los dos billetes al Revisor).*

ENRIQUE. — Pero, Juanita, tú . . . ¿ Cómo y cuándo me sacaste los billetes de la cartera ?

JUANITA. — No, Enrique, no te los saqué. ¡ Me los diste tú !

ENRIQUE. — ¿ Que te los dí yo ? [14] Eso es absurdo, yo los puse en la cartera.

JUANITA. — No, m'hijito, me los diste junto con los talones del equipaje, allá en el restaurante, ¿ no te acuerdas ? ¡ Oh, qué memoria la tuya,[15] y qué dominio [16] tienes de ti mismo ! Pareces un santo.

ENRIQUE. — ¿ Y tú ? . . . ¿ Por qué no me devolviste [17] los billetes ? ¡ Tú me la pagarás !

VOCABULARIO SUPLEMENTARIO

la carrilera (los rieles, carriles) tracks

el coche (vagón) car, coach; — **correo** mail car; — **fumador** smoking car

el furgón freight car

la locomotora locomotive, engine

el maquinista engineer

el tren train; — **expreso** express train; — **de carga** freight train; **cambiar de —** to change trains

[9] **¡ Válgame Dios !** Heaven help me!

[10] **el despacho** office

[11] **la cartera** wallet

[12] **el cuento** story

[13] **la bolsa** purse

[14] **¿ Que . . . ?** You say that . . . ?

[15] **¡ Oh, qué memoria la tuya !** Oh, what a memory you have!

[16] **el dominio** control

[17] **devolver** to give back

PREGUNTAS

A

1. ¿ Perdieron el tren don Enrique y su esposa ? 2. ¿ Lo tomaron a tiempo ? 3. ¿ Qué les preguntó el portero ? 4. ¿ Se acostaron los dos viajeros al subir al tren ? 5. ¿ Qué hicieron antes de acostarse ? 6. ¿ Cómo estaba la noche ? 7. Siendo de noche, ¿ cómo podía ser hermosa la vista ? 8. ¿ Hacía luna esa noche ? 9. ¿ Quién les pidió los billetes de tren a los viajeros ? 10. ¿ Halló don Enrique los billetes ? 11. ¿ Quién los tenía ? 12. ¿ Por qué tenía Juanita los billetes ? 13. ¿ Tiene buena memoria don Enrique ? 14. ¿ Tiene buen dominio de sí mismo ?

B

1. ¿ Va usted tarde o temprano al tren cuando viaja ? 2. ¿ Qué hace usted con los billetes de tren ? 3. ¿ Dónde los pone usted ? 4. ¿ Le da usted los billetes al revisor ? 5. ¿ Qué hace usted si los pierde ? 6. ¿ Se tira usted del tren si los pierde ? 7. ¿ Puede usted comprar billetes en el tren ? 8. ¿ Lleva usted siempre su cartera ? 9. ¿ Qué guarda usted en ella ? 10. ¿ Se acuesta usted tan pronto como sube a un tren ? 11. ¿ Le gusta a usted sentarse en el coche salón ? 12. ¿ Qué hace usted en el tren ? 13. ¿ Cómo se distraen los viajeros en un tren ? 14. ¿ Se puede leer y escribir en un tren ? 15. ¿ A qué juega usted en un tren ?

EJERCICIOS

I. *Combine usted una frase de A con otra de B para formar oraciones completas:*

a. El certificado de buena conducta; si se pierde el talón; los billetes se venden; con una propina: si una persona conduce su coche a velocidad excesiva; el horario indica; la maleta.

b. Es probable que tenga que pagar una multa; sirve para impedir la entrada de los criminales; en la taquilla; sirve para guardar ropa y otras cosas; se recompensa un servicio; la hora de llegada y partida de los trenes; será difícil recobrar el equipaje.

II. *Conversation.* You are at a railroad station. a. Have the porter check your bags, and give him his tip. b. Buy a round-trip ticket to . . . with a stop-over at . . . c. Ask the ticket seller for a timetable.

EN EL CONSULADO

21

LECCIÓN VEINTIUNA

ENRIQUE. — ¡ Qué suerte, todos estamos en Miami ! Ahora tenemos que ir al Consulado de Cuba.

JUANITA. — Yo no puedo moverme. ¿ Por qué no llamas al Cónsul por teléfono ?

ENRIQUE. — Está bien, lo llamaré. ¿ Pero crees tú que el Cónsul vendrá aquí ? Eso es menos que probable. Lo verás. (*Coge el teléfono y llama*). Haló, ¿ con quién hablo ? ¿ Con el señor Cónsul ?

EL CÓNSUL. — Sí, señor, para servir a usted. ¿ Qué se le ofrece ?

ENRIQUE. — Mi esposa, tres amigos y yo deseamos visitar a Cuba, y esperamos salir mañana en el *Santa María.* ¿ Podríamos obtener nuestras tarjetas de turista esta tarde ?

EL CÓNSUL. — Sí, señor. Cada uno de ustedes necesita una, y debe venir en persona al Consulado. Lo mejor es que vengan todos juntos, y que traigan los papeles necesarios. Así ganaremos tiempo, ¿ no es verdad ?

ENRIQUE. — Muy bien. ¿ Podremos ir ahora mismo ?

EL CÓNSUL. — Sí, señor. Aquí los espero. Hasta luego.

* * *

LOS TURISTAS. — Buenas tardes, señor Cónsul.

EL CÓNSUL. — Buenas tardes, señoritas, caballeros. ¿ Son ustedes los turistas que van a salir mañana para Cuba ?

ENRIQUE. — Sí, señor. Yo soy Enrique Brown, profesor de español; mi esposa Juanita, la señorita Alicia Jones, su hermano Roberto, y su novio Pedro Firestone.

LOS TURISTAS. — Tanto gusto . . . Tanto gusto . . .

EL CÓNSUL. — El gusto es para mí. ¿ Y sus papeles ?

ENRIQUE. — Aquí tiene usted los certificados de buena salud, de vacuna (vacunación),[1] etc. Creo que todos están en orden.

[1] **la vacuna (vacunación)** vaccination

EL CÓNSUL. — Muchas gracias. Tengan la bondad de sentarse. (*Examina los papeles, y le pide a su secretaria que les extienda*[2] *las tarjetas*). Pues bien, amigos, con las tarjetas ustedes podrán visitar a Cuba durante noventa días. ¿ Cuántos van a estar allá ?

JUANITA. — Unas tres semanas nada más. Después iremos a México.

EL CÓNSUL. — ¿ Tres semanas nada más ? ¡ Qué lástima ! Cuba es un país muy bello. Sin embargo, en tres semanas podrán ver muchas cosas, si saben aprovechar el tiempo.

ALICIA. — Dicen que la Habana es una ciudad muy romántica. ¿ Es cierto, señor Cónsul ?

EL CÓNSUL. — Pues sí y no, eso depende. El *romance* es algo que está en el alma, que no[3] en las cosas, ¿ verdad, señorita Jones ?

ALICIA. — ¿ De veras ? . . . ¡ Qué interesante !

EL CÓNSUL. — Como lo oye, señorita. Pero yo estoy seguro de que ustedes se divertirán mucho en la Habana. Playas,[4] casinos,[5] músicas y bailes, flores, serenatas . . .

ALICIA. — ¡ Oh, qué romántico !

EL CÓNSUL. — Bien, aquí tienen ustedes las tarjetas, y todos sus papeles.

LOS TURISTAS. — Muchas gracias, señor Cónsul. ¡ Adiós, adiós !

EL CÓNSUL. — ¡ Adiós, amigos ! Buen viaje, y buena suerte, ¿ eh ?

SUPLEMENTO

A veces, antes de expedir (extender) las tarjetas de turista, o de visar los pasaportes, el Cónsul les hace a los viajeros preguntas como las que siguen. Dé usted las respuestas:[6] ¿ Cómo se llama usted ? . . . o ¿ Cuál es su nombre ? . . . ¿ su nacionalidad ? . . . ¿ el lugar de su nacimiento ? . . . ¿ su domicilio ?[7] . . . ¿ su estado civil[8] (soltero,[9] casado, viudo)[10] ? . . . ¿ su profesión ? . . . ¿ su edad ? . . . ¿ su estatura ? . . . ¿ su peso ? . . . ¿ el color de sus ojos (su pelo, sus cabellos) ? . . . ¿ Qué señales (señas)[11] tiene (lunar,[12] cicatriz,[13] etc.) ?

[2] **extender (expedir)** to issue
[3] **que no** and not
[4] **la playa** beach
[5] **el casino** club
[6] **la respuesta** answer
[7] **el domicilio** residence, address
[8] **el estado civil** civil status
[9] **soltero** unmarried person
[10] **el viudo** widower
[11] **la señal (seña)** distinguishing mark
[12] **el lunar** birthmark
[13] **la cicatriz** scar

PREGUNTAS

A

1. ¿ Llegaron a tiempo los cinco viajeros a Miami ? 2. ¿ Por qué llamó don Enrique al Cónsul por teléfono ? 3. ¿ Tuvieron que ir todos en persona al Consulado ? 4. ¿ Quién los recibió en el Consulado ? 5. ¿ Los recibió bien ? 6. ¿ Quién les expidió (extendió) las tarjetas ? 7. ¿ Por cuánto tiempo pueden los turistas visitar a Cuba con las tarjetas de turista ? 8. ¿ Por qué está seguro el Cónsul de que los turistas se divertirán en la Habana ? 9. ¿ Hay playas muy hermosas en la Habana ? 10. ¿ Hay muchos casinos en la Habana ? 11. ¿ Qué les deseó el Cónsul a nuestros turistas al despedirse de ellos ?

B

1. ¿ Necesita usted un pasaporte para viajar fuera de los Estados Unidos ? 2. ¿ Dónde se obtiene un pasaporte ? 3. ¿ Se necesita un pasaporte para ir a Cuba ? . . . ¿ a México ? . . . ¿ al Canadá ? 4. ¿ Quiénes visan los pasaportes ? 5. ¿ Ha estado usted en la Habana ? 6. ¿ Cuál es la capital de Cuba ? 7. ¿ Es la Habana un puerto de mar ? 8. ¿ Cómo se viaja de Miami a la Habana ? 9. ¿ Se puede viajar en tren ? . . . ¿ en vapor ? . . . ¿ en avión ? 10. ¿ Ha estado usted en Miami ? 11. ¿ Tiene Miami playas muy famosas ? 12. ¿ En qué estado están esas playas ? 13. ¿ Baila usted ? 14. ¿ Sabe usted bailar la rumba ?

EJERCICIO

Conversation. Make questions based on the following expressions, and ask members of the class to answer them: los deportes favoritos de los Estados Unidos; la mejor manera de viajar; los preparativos de un viaje al extranjero; facturando el equipaje; comprando un billete de ferrocarril; una visita al consulado de Cuba.

A BORDO[1]

22

LECCIÓN VEINTIDÓS

JUANITA. — No, Enrique, yo voy a quedarme en el camarote.[2] ¿ Quién podría creerlo ? Estoy mareada.[3] Es la primera vez, ¿ sabes ?

ENRIQUE. — Así es . . . Pero mejor es que subamos a cubierta.[4] Daremos unas vueltas.[5] El ejercicio y las brisas[6] del mar son buenos para el mareo[7] . . .

JUANITA. — ¿ Crees tú que me pasará ? ¡ Figúrate, marearme[8] hoy, con este día tan bello !

ENRIQUE. — Así es la vida. Pero ya lo verás. En menos de dos horas estarás bien. Te lo aseguro.

JUANITA. — Bueno, entonces subamos a cubierta.

(*Los esposos Brown suben y se sientan en las sillas de cubierta*).

UN MOZO. — ¿ Se siente mejor, mi señora ? Me alegro[9] mucho. ¿ Desea que le traiga algo ? ¿ Un vaso de té helado,[10] o unas frutas ? Las manzanas le sentarán bien.[11]

JUANITA. — ¿ De veras ? . . . Entonces, tráeme unas.

EL MOZO. — ¿ Y el señor qué desea ?

ENRIQUE. — Una taza de té caliente, con azúcar y limón.

EL MOZO. — Con mucho gusto. Dentro de dos minutos estaré de vuelta.[12]

PEDRO. (*Acercándose en traje de baño*). — Juanita, siento mucho que usted y don Enrique no puedan ir a nadar en la piscina[13] . . .

JUANITA. — No se preocupe,[14] Pedro. Otro día Enrique y yo iremos

[1] **A bordo** Aboard ship
[2] **el camarote** cabin
[3] **Estoy mareada** I am seasick
[4] **a cubierta** on deck
[5] **Daremos unas vueltas** We'll take a few turns (around deck)
[6] **la brisa** breeze
[7] **el mareo** seasickness
[8] **marearse** to become seasick
[9] **alegrarse** to be glad
[10] **el té helado** iced tea
[11] **sentarle bien a uno** to agree with one
[12] **estar de vuelta** to be back
[13] **la piscina** swimming pool
[14] **preocuparse** to worry

a nadar. Miren, allá vienen Alicia y Roberto. ¡ Qué linda está Alicia en traje de baño, ¿ verdad ?

PEDRO. — ¿ Linda ? . . . ¡ Divina, digo yo !

ALICIA Y ROBERTO. — ¿ Vamos, Pedro ? . . . ¡ A la piscina !

PEDRO. — Hasta luego, Juanita.

JUANITA. — Hasta luego. No vayan a pasar[15] toda la tarde en la piscina, ¿ eh ?

PEDRO. — No se preocupe, señora. Unas dos horas nada más . . .

* * *

ALICIA. (*Mirando al mar desde cubierta:*)

"Margarita, está linda la mar,
y el viento
lleva esencia sutil[16] de azahar;[17]
yo siento
en mi alma una alondra[18] cantar:
tu acento.[19]
Margarita, te voy a contar
un cuento."

PEDRO. — ¿ Qué estás diciendo, Alicia ?

ALICIA. — ¡ Oh, nada ! . . . Unos versos de Rubén Darío.

PEDRO. — ¡ Versos ! . . . ¿ Y quién te los enseñó ?

ALICIA. — Paco Fuentes, el cubano que me enseña a bailar la rumba.

PEDRO. — ¡ Ajá ! Conque, rumba y versos, ¿ eh ?

ALICIA. — Sí, Pedro. Escucha el cuento:

"Éste era[20] un rey que tenía
un palacio de diamantes,[21]
una tienda hecha del día[22]
y un rebaño de elefantes.[23]

Un quiosco de malaquita,[24]

[15] **No vayan a pasar** Don't go and spend
[16] **la esencia sutil** delicate fragrance
[17] **el azahar** orange blossom
[18] **la alondra** lark
[19] **tu acento** the sound of your voice
[20] **Éste era** There was once upon a time
[21] **el diamante** diamond
[22] **una tienda hecha del día** a tent made of sunbeams
[23] **y un rebaño de elefantes** and a herd of elephants
[24] **Un quiosco de malaquita** A kiosk built of malachite

un gran manto de tisú,[25]
y una gentil princesita
tan bonita,
Margarita,
tan bonita
como tú.

Una tarde la princesa" . . .

PEDRO. (*Interrumpiéndola*) — ¡ Que tenga cuidado ! [26] Esos latinos . . .
ALICIA. — ¿ Crees tú ? . . . ¡ Ah ! el mar, la luna, los versos . . .
PEDRO. — ¿ Los versos ? . . . ¡ Bah ! ¿ No oyes la música ? Escucha:

Alicia, está linda la mar,
y la vida
nos llama con su dulce cantar [27] . . .
Y tú, princesita
tan bonita . . .
¡ Oh, ven conmigo ese valse a bailar !

PREGUNTAS

A

1. ¿ Por qué quería Juanita quedarse en el camarote ? 2. ¿ Por qué don Enrique le pidió a su esposa que subiesen a cubierta ? 3. ¿ Es bueno hacer ejercicio cuando uno está mareado ? 4. ¿ Subieron a cubierta Juanita y don Enrique ? 5. ¿ Qué les ofreció allí el mozo ? 6. ¿ Fueron los esposos a nadar ese día ? 7. ¿ Qué hicieron ? 8. ¿ De quién son los versos que Alicia recitó ? 9. ¿ Quién le enseñó esos versos a la niña ? 10. ¿ Le gustan a Pedro los versos ? 11. ¿ Por qué invitó Pedro a su novia a bailar ? 12. ¿ Qué tocaba en esos momentos la orquesta ?

B

1. ¿ Le gustan a usted los versos ? 2. ¿ Escribe usted versos ? 3. ¿ Quiénes escriben versos ? 4. ¿ Les gustan los versos a los hispanoamericanos ? 5. ¿ Se ha mareado usted ? 6. ¿ Qué es bueno hacer para no marearse ? 7. ¿ Qué hace usted cuando se marea ? 8. ¿ Dónde se marea la gente ? 9. ¿ Sabe usted bailar la rumba ? 10. ¿ Le gustan a usted los valses ? 11. ¿ Qué bailan los cubanos ? 12. ¿ Es la rumba un baile popular ?

[25] **un gran manto de tisú** a large cloak of gold tissue
[26] **tener cuidado** to be careful
[27] **el cantar** song

A BORDO

I. 1. **la cubierta** deck
2. **el salvavidas** life preserver
3. **la baranda** railing
4. **el camarero** steward
5. **los pasajeros** passengers
6. **los jugadores de tejo** shuffleboard players
7. **la cancha (pista) de tejo** shuffleboard court
8. **el palo** stick
9. **el tejo** counter, disk
10. **la gaviota** sea gull

PREGUNTAS

A

I. 1. ¿ Cuántos pasajeros hay aquí ?
2. ¿ Cuántos están sentados ?
3. ¿ Cuántos están jugando al tejo ?
4. ¿ Con qué juegan al tejo ?
5. ¿ Cuántos camareros están en cubierta ?
6. ¿ Qué les ofrece el camarero a las señoritas ?
7. ¿ Dónde está el salvavidas ?
8. ¿ Qué se ve en el aire ?

II. 1. ¿ Cuántos pasajeros se ven aquí ?
2. ¿ Quiénes están sentados ?
3. ¿ Quiénes se están paseando en la cubierta ?
4. ¿ Qué lleva la muchacha en el brazo ?
5. ¿ Quiénes están junto a la baranda ?
6. ¿ Qué hace la señora que está sentada ?

III. 1. ¿ Cuántos bañistas se ven aquí ?
2. ¿ Cuántos están en la piscina ?
3. ¿ Qué tiene en las manos la señorita ?
4. ¿ Qué hace la otra señorita ?
5. ¿ Qué hace el muchacho junto a la baranda ?
6. ¿ Con qué mira ?
7. ¿ Quién está en la escalerilla ?

B

1. ¿ Le gusta a usted jugar al tejo ?
2. ¿ Dónde se juega al tejo cuando se viaja por mar ?
3. ¿ Con qué se juega al tejo ?
4. ¿ Quién sirve el té en la cubierta de los vapores ?
5. ¿ Se baña usted en la piscina cuando viaja por mar ?
6. ¿ Qué es una gaviota ?
7. ¿ Dónde se ven a menudo las gaviotas ?
8. ¿ Ha visto usted gaviotas lejos de las costas ?
9. ¿ Qué usa usted si desea ver bien un objeto muy distante ?
10. ¿ Es bueno llevar binóculos cuando se viaja por mar ?

II. 11. **la muchacha** girl
12. **el abrigo** coat, overcoat
13. **el lector (la lectora)** reader
14. **el mar** sea
III. 15. **la piscina (alberca) de baño** swimming pool
16. **el balón (la bola, pelota)** ball
17. **la escalerilla** ladder
18. **los binóculos** field glasses
19. **el vapor** steamer
20. **el bañista** bather

EL DESEMBARQUE[1]

23

LECCIÓN VEINTITRÉS

PEDRO. — Qué suerte, ¿ eh, Juanita ? Dentro de poco estaremos en tierra.

JUANITA. — Sí, pero . . . ¿ sabe usted, Pedro ? A pesar del mareo, le confieso que me divertí mucho a bordo.

PEDRO. — Me alegro mucho. A bordo se vive bien. Alicia ha estado en el cielo.[2] Ya sabe bailar la rumba y recitar versos. El cubanito Paco Fuentes la tiene encantada[3] . . .

JUANITA. — Así me parece. ¿ Y usted qué dice ? ¿ No teme usted . . . ?

PEDRO. — ¿ Pero qué puedo temer ? A Alicia la conozco muy bien. Le gusta *flirtear*[4] y darme celos.[5] Ayer fué Antonio Molina, hoy Paco Fuentes, y mañana . . . Alicia se divierte dándome celos, pero eso también me divierte a mí, ¿ no ve usted, Juanita ? . . .

* * *

ALICIA. — Hola, Roberto, ¿ por qué hay tantos pasajeros[6] en cubierta ?

ROBERTO. — Porque ya estamos en la bahía[7] de la Habana.

ALICIA. — Sí, cómo no. Ya se ven los edificios altos de la ciudad. ¡ Ah, y qué gentío ! Todos agitan[8] las manos y los pañuelos.[9] A mí me encanta[10] llegar. Hay risas, y gritos, y movimiento. ¡ Oh, qué emocionante !

ROBERTO. — ¿ Y no te da tristeza[11] (el) despedirte de Paco Fuentes ?

ALICIA. — Tonto . . . ¿ A mí qué me importa ese Paco ? . . . Además, lo

1 **el desembarque** landing
2 **estar en el cielo** to be in seventh heaven
3 **la tiene encantada** he holds a spell over her
4 **flirtear** to flirt
5 **darme celos** to make me jealous
6 **el pasajero** passenger
7 **la bahía** bay
8 **agitar** to wave
9 **el pañuelo** handkerchief
10 **encantar** to charm, thrill
11 **¿Y no te da tristeza?** And doesn't it make you feel sad?

podré ver en el Country Club, o en la playa. ¿Quién sabe? ... Paco es muy interesante, ¿verdad?

ROBERTO. — Sin duda. Y es rico, y tiene unos ojos,[12] y un modo de bailar la rumba, y dice cosas tan lindas ...

ALICIA. — ¡Déjate de bromas,[13] Roberto! Mira, ¿quiénes vendrán en esa lancha?

ROBERTO. — Los empleados de inmigración.[14] ¿No ves que es una lancha oficial? Ya ponen la rampa (plancha).[15] Dentro de unos minutos estarán en el salón. Vamos allá. Es bueno estar listos.

***

UN EMPLEADO. — Los señores y las señoritas son turistas, ¿verdad? A ver sus tarjetas, por favor.

ENRIQUE. — Aquí las tiene usted, señor.

EL EMPLEADO. — Muchas gracias. Vamos a ver: usted, don Enrique Brown, su esposa Juanita, sus amigos Alicia y Roberto Jones, y Pedro Firestone. ¿No es así? Todo está en orden. Ustedes pueden desembarcar cuando gusten. Si llevan equipaje tengan la bondad de pasar por la Aduana,[16] para su revisión.[17]

ENRIQUE. — Está bien. Muchas gracias.

EL EMPLEADO. — No hay de qué.[18]

***

ENRIQUE. — Señor oficial, éstas son nuestras maletas. Es todo lo que llevamos, además de esa sombrerera. ¿Tenemos que abrir las maletas?

EL OFICIAL. — Sí, señor. Así lo dispone el Reglamento.[19] ¿Qué llevan ustedes? ¿Tienen algo que declarar?

ENRIQUE. — Sólo llevamos prendas (artículos) de uso personal. ¿Hay derechos[20] que pagar?

EL OFICIAL. — No, señor. ¿Y estos cigarrillos y estos perfumes, señorita?

ALICIA. — También son de uso personal, caballero.

[12] **tiene unos ojos** he has such a look in his eyes

[13] **¡Déjate de bromas!** Stop your joking!

[14] **los empleados de inmigración** immigration officials

[15] **la rampa (plancha, planchón)** gangplank

[16] **la Aduana** custom house

[17] **la revisión** inspection

[18] **No hay de qué** You are welcome, don't mention it

[19] **el Reglamento** Regulations

[20] **¿Hay derechos que pagar?** Are there any duties to pay?

EL OFICIAL. — Dispénseme, señorita. No creí que usted necesitaba de tantos . . . Pasen ustedes, por favor.

TODOS. — Muchas gracias . . . Muchas gracias . . .

VOCABULARIO SUPLEMENTARIO

el bote boat
la canoa canoe
el empleado de sanidad health officer
el estibador stevedore
el muelle dock
el piloto pilot

PREGUNTAS

A

1. ¿Se divirtió Juanita a bordo? 2. ¿Se vive bien a bordo? 3. ¿Qué aprendió Alicia en el *Santa María?* 4. ¿Quién le enseñó a bailar la rumba y a recitar versos? 5. ¿Le gusta flirtear a Alicia? 6. ¿Por qué es emocionante la llegada a un puerto? 7. ¿Qué se ve en los muelles del puerto? 8. ¿Qué hace el gentío? 9. ¿Quiénes vinieron al *Santa María* en una lancha oficial? 10. ¿Qué les pidió a los cinco turistas el empleado de inmigración? 11. ¿Quién les revisó los equipajes? ¿Dónde? 12. ¿Pagaron derechos nuestros turistas? 13. ¿Qué declararon en la Aduana?

B

1. ¿Ha viajado usted en un vapor? 2. ¿Le gusta a usted la vida (de) a bordo? 3. ¿Descansa y se divierte usted a bordo? 4. ¿Qué hace usted para divertirse a bordo? 5. ¿Ha pasado usted por una aduana? 6. ¿Qué hace usted cuando viene el revisor de equipajes? 7. ¿Qué tiene usted que declarar en las aduanas? 8. ¿Paga usted derechos? ¿Por qué? 9. ¿Pagan derechos los artículos de uso personal? 10. ¿Qué prendas lleva usted en sus maletas de viaje? 11. ¿Qué es un estibador? ¿Un piloto? 12. ¿Se ven canoas en los puertos tropicales?

EJERCICIOS

I. *Llénense las rayas con las palabras debidas:* 1. Las tarjetas de turista se expiden en el _____. 2. Para probar que no sufre de una enfermedad contagiosa, el viajero lleva _____. 3. Los equipajes se revisan en _____. 4. Si los viajeros llevan sólo artículos de uso personal, no hay _____. 5. Los trabajadores que cargan los buques se llaman _____. 6. El que dirige un buque en la navegación es _____.

II. *Conversation.* Tell what steps are taken before passengers who arrive at a foreign port can go ashore.

EN UN HOTEL

24

LECCIÓN VEINTICUATRO

JUANITA. — ¡ Al fin, Enrique ! Pero ¡ qué extraño ! Al echar pie[1] a tierra me vuelve el mareo. Es increíble, ¿ verdad ?

ENRIQUE. — Eso sucede a veces, pero no te preocupes. En un taxi iremos pronto a un hotel. Allí descansarás. ¿ Taxi ?

UN CHOFER. — Sí, señor, para servir a usted. Sin duda usted y sus compañeros desean ir al Hotel Miramar. No está lejos del centro[2] ni de las playas de moda.[3] ¿ Al Miramar ?

ALICIA. — Sí, vamos allá. Paco Fuentes me dijo que el Miramar es uno de los hoteles más elegantes de la Habana.

ENRIQUE. — Y uno de los más caros. ¿ Qué dicen ustedes ?

ROBERTO. — Sin duda iremos al Miramar. Si no, Paco Fuentes . . . ¡ Bah !

ENRIQUE. — ¿ Está muy lejos ese hotel ?

EL CHOFER. — No, señor. Está a dos millas nada más.[4] ¿ Quieren subir ? Del equipaje no se preocupen. El camión[5] del Miramar se encargará[6] de llevarlo, si le dan al agente los talones.

* * *

ALICIA. — *¡ OO-lalá,* qué hotel ! Mejores no los he visto en los Estados Unidos. ¿ Verdad que es muy elegante ? Razón tenía Paco Fuentes.

PEDRO. — ¡ Qué Paco, ni qué diablos ! [7]

JUANITA. — Según parece, todos estamos un poquito irritables, ¿ eh ? . . . Mira, Enrique: Alicia y yo nos sentaremos aquí en el *lobby,* con Roberto, mientras (que) tú vas con Pedro a la oficina de registro.[8] ¿ No te parece ?

[1] **echar pie** to set foot
[2] **el centro** center, downtown
[3] **de moda** fashionable
[4] **dos millas nada más** only two miles
[5] **el camión** truck, bus
[6] **encargarse de** to take charge of, see about
[7] **¡ Qué Paco ni qué diablos !** What the deuce do you mean by Paco?
[8] **la oficina de registro** office (of a hotel)

ENRIQUE. — Bien pensado. Espérennos aquí, que nosotros lo arreglaremos todo. Venga usted conmigo, Pedro.

UN DEPENDIENTE. — Sí, señores, a sus órdenes. ¿Qué desean ustedes?

ENRIQUE. — Un juego [9] de cuartos (habitaciones) para mi señora, nuestra amiga Alicia y yo; y un cuarto con baño para su hermano Roberto y nuestro amigo Pedro Firestone.

EL DEPENDIENTE. — Está bien. Los hay de varios precios, de cinco a cincuenta dólares al día, por persona.

PEDRO. — Son todos muy caros. ¿Dónde están los de a cinco dólares? [10]

EL DEPENDIENTE. — En los pisos superiores.

PEDRO. — ¿Tienen vista al [11] mar, o a la calle?

EL DEPENDIENTE. — Eso no, pero dan al patio, y son cómodos y tranquilos.

ENRIQUE. — En ese caso los tomaremos.

EL DEPENDIENTE. — Muy bien, señores. Tengan la bondad de firmar [12] el libro de registro.[13] (*Llamando a un mozo* [*camarero*]). Mozo, acompaña ahora mismo a estos caballeros y súbeles [14] los equipajes a los cuartos números 675 y 677. Señores, sean ustedes bien venidos. El hotel está a su servicio.

ENRIQUE Y PEDRO. — Muchas gracias.

***

EL CAMARERO. — Señores, aquí están los cuartos. En ellos hallarán ustedes todo lo que necesitan. El ascensor [15] está a la derecha. Si desean algo más, sírvanse llamar por teléfono.

ENRIQUE. — Gracias. Aquí tienes tu propina.

EL CAMARERO. — Muchas gracias, señor.

***

ROBERTO. — ¿Cinco dólares al día por persona, y sin alimentación (pensión)? [16] ¡Caracoles! Si pasamos más de tres semanas en la Habana nos arruinaremos.

[9] **el juego** suite
[10] **los de a cinco dólares** those for five dollars
[11] **tener vista a** to look on, have a view of
[12] **firmar** to sign
[13] **el libro de registro** register
[14] **subir** to take up
[15] **el ascensor** elevator
[16] **sin alimentación (pensión)** without meals

ALICIA. — Pero los cuartos son tan limpios y elegantes. Paco Fuentes me dijo . . .

PEDRO. — ¡ Dale con [17] Paco Fuentes ! ¿ Cuándo vas a olvidarte de ese mamarracho ? [18]

ALICIA. — ¿ De Paco ? . . . ¡ Nunca !

VOCABULARIO SUPLEMENTARIO

el botones bellboy
la camarera maid
la gerencia management
el gerente manager
el mayordomo majordomo, butler
la mesera waitress

PREGUNTAS

A

1. ¿ Cuándo le volvió el mareo a Juanita ? 2. ¿ Qué hicieron nuestros viajeros al llegar a la Habana ? 3. ¿ A qué hotel fueron ? 4. ¿ Cómo fueron al hotel ? 5. ¿ Quién le dijo a Alicia que el Miramar era muy elegante ? 6. ¿ Cuántos cuartos alquilaron los cinco turistas ? 7. ¿ Cómo le pareció el Miramar a Alicia ? 8. ¿ Dónde estaban los cuartos que tomaron ? 9. ¿ A dónde daban los cuartos ? 10. ¿ Quiénes fueron a la oficina de registro ? 11. ¿ Quién les subió el equipaje a las habitaciones ? 12. ¿ Qué le dió don Enrique al mozo ?

B

1. ¿ Vive usted en un hotel ? 2. ¿ Por lo general quiénes viven en los hoteles ? 3. ¿ Dónde se alojan los turistas cuando viajan ? 4. ¿ Cuándo va usted a un hotel ? 5. ¿ Es bueno reservar los cuartos en los hoteles ? 6. ¿ Va usted a los hoteles a bailar y a comer ? 7. ¿ Cuál es el mejor hotel de esta ciudad ? 8. ¿ Es muy elegante ese hotel ? 9. ¿ Hay buenos hoteles en los Estados Unidos ? ¿ En la Habana ? 10. ¿ Cuesta mucho vivir en los hoteles ? 11. ¿ Cuánto cuesta al día ? 12. ¿ Son caros los hoteles ?

[17] **¡ Dale con . . . !** The deuce with . . . !

[18] **el mamarracho** clown

EJERCICIOS

I. *En cada grupo de palabras hay una que no pertenece. ¿Cuál es?*

a. el lago, la montaña, el río, el mar, el océano.

b. el agente de tráfico, el consulado, expedir la tarjeta de turista, visar el pasaporte, ir al extranjero.

c. el vapor, la cubierta, el camarote, el mozo, el taquillero.

d. sentirse malo, estar alegre, el mar agitado, marearse, bajar al camarote.

e. bailar la rumba, el desembarque, pasar por la aduana, revisar el equipaje, los empleados de inmigración.

f. el juego de cuartos, el libro de registro, el camarero, el ascensor, el camión.

g. el avión, el tren de pasajeros, el coche comedor, el coche salón, el revisor.

II. *Conversation.* One student, as the clerk in a hotel, and another student, as a traveler, discuss accommodations wanted by the latter, prices, location, etc.

Hotel Miramar

LAVANDERÍA

No. ____________

Cuarto No. ______________ Cantidad $ ________

La Habana, ________________ de 19__

Sr. ____

ESPECIAL

NO.	LISTA DE CABALLEROS		NO.	LISTA DE SEÑORAS Y DE NIÑOS	
	Batas	$0.50		Batas	$1.50
	Calcetines	.10		Blusas	.50
	Calcetines de seda	.15		Calzones	.20
	Calzoncillos	.40		Camisas de dormir	.25
	Camisas	.40		Faldas (enaguas)	.65
	Corbatas	.12		Medias de seda	.30
	Pañuelos	.12		Portabustos	.25
	Pijamas	.50		Trajes de niño	.85
	Trajes de lino	2.50		Vestidos	.85

PLANCHADO EN SECO

Trajes de lana para caballero, c.u.	$1.50
Vestidos de hilo para señora, c.u.	.75
Vestidos de seda para señora, c.u.	1.00

Sírvase hacer la lista de su ropa, de otra manera tiene que aceptar la que hagamos.

Los encajes y prendas que se encogen se lavan a riesgo del interesado.

El lavado ordinario se hace en tres días, y el especial en 24 horas.

La casa sólo responde de las prendas especializadas (especificadas) en la lista.

Toda reclamación debe hacerse en el momento de recibir la ropa.

La Gerencia

AL LEVANTARSE

25

LECCIÓN VEINTICINCO

ENRIQUE. — ¡ Vamos, Pedro, Roberto ! Ya es hora de levantarse.

ROBERTO. — ¿ De veras, don Enrique ? ¿ Qué horas son ?

ENRIQUE. — Las ocho en punto. ¿ No oyeron el despertador ? [1]

PEDRO. — ¿ El despertador ? ¿ Hay alguno aquí ?

ENRIQUE. — ¡ Claro que sí ! ¿ No oyeron las campanas de la Catedral ? Ése es el gran despertador.

PEDRO. — Pues no lo oímos. Como no estamos acostumbrados . . .

ENRIQUE. — Ya se acostumbrarán. Pero ¡ a levantarse, muchachos ! Juanita y Alicia nos esperan. Ya es hora de ir a desayunarnos.[2]

* * *

PEDRO. — ¿ Hay agua caliente, Roberto ? Yo quiero darme un baño.

ROBERTO. — Ya lo creo,[3] hombre. Yo acabo de darme uno. Está delicioso. Mira, mientras tú te bañas, yo me afeito,[4] me limpio los dientes y me visto.

PEDRO. — Será cosa de quince minutos. ¿ Qué ropa nos ponemos ?

ROBERTO. — Ropa blanca, que es la más fresca. Es la mejor para los climas tropicales.

* * *

JUANITA. — ¿ Estás lista, Alicia ? Ya son las nueve, y nos están esperando.

ALICIA. — Estaré con ustedes en dos minutos . . . Sólo me falta [5] tocarme los labios [6] . . . ¿ Cómo te parezco ?

JUANITA. — ¡ Divina, Alicia ! Pero te has pintado demasiado las pestañas.[7] Aquí las mujeres no lo hacen tanto como en Nueva York.

[1] **el despertador** alarm clock
[2] **desayunarse** to eat breakfast
[3] **Ya lo creo** I should say so
[4] **afeitarse** to shave
[5] **Sólo me falta** All I have to do is . . .
[6] **tocarse los labios** to put on lipstick
[7] **pintarse las pestañas** to tint one's eyelashes

ALICIA. — ¡ Mejor que mejor ! [8] Así les mostraremos . . . Además, ¿ qué me importan a mí las mujeres ? . . . Ya está [9] . . . ¿ Qué tal ?

JUANITA. — Con esta mañana tan clara, y tu traje blanco y tus cabellos rubios,[10] y con esos labios . . . Bueno, te diré que estás . . . *¡ terrífica !* Vamos al comedor.

* * *

LA MESERA. — Buenos días. ¿ Desean ustedes una mesa para los cinco ? Aquí hay una que tiene vista al mar.

ENRIQUE. — Muy bien. ¿ Y qué tienen hoy ?

LA MESERA. — Frutas y jugos [11] de varias clases, cereales, huevos, tocino, pescado . . . Ahí tienen la lista de platos.

JUANITA. — Yo deseo jugo de naranja, huevos fritos,[12] tostadas y café con leche.[13]

ALICIA. — Yo quiero lo mismo. Pero no, tráigame usted una papaya.

LA MESERA. — ¿ Entera, señorita ?

ALICIA. — No . . . ¡ Cortada en dos !

ENRIQUE. — Para mí pescado frito, y una taza de chocolate, con queso [14] y tostadas.

ROBERTO. — Lo mismo para mí.

PEDRO. — Y para mí huevos revueltos,[15] tocino frito y café negro.

LA MESERA. — Está bien. Tengan la bondad de esperar un poco.

* * *

ENRIQUE. — Vean ustedes: aquel caballero ha pedido huevos crudos [16] (al natural).

ALICIA. — ¿ Huevos crudos ? ¡ Dios mío ! ¿ Comen huevos crudos los cubanos ?

ENRIQUE. — Eso no tiene nada de particular.[17] Observen ustedes: cada huevo viene en una copita de cristal; [18] el caballero les pone jugo de naranja; cierra los ojos, y *¡ zoom !* . . . , como diría Alicia.

[8] **¡ Mejor que mejor !** All the better!

[9] **Ya está** Now that's done

[10] **los cabellos rubios** blond hair

[11] **el jugo** juice

[12] **frito** fried

[13] **el café con leche** strong coffee extract and hot milk

[14] **el queso** cheese

[15] **revuelto** scrambled

[16] **crudo** raw

[17] **Eso nada tiene de particular** There is nothing strange about that

[18] **la copita de cristal** small glass goblet

ALICIA. — Sí, señor. Se comió dos huevos, uno tras de otro, y sin hacer ni el menor gesto.[19] ¡Qué interesante! Mañana voy a pedir huevos crudos, y haré lo mismo. A mí me gusta ensayarlo[20] todo una vez, y las mujeres tenemos[21] ciertos privilegios, ¿no? . . .

VOCABULARIO SUPLEMENTARIO

el cepillo de dientes toothbrush
el jabón soap
el jamón ham
la pasta dentífrica toothpaste
los polvos dentífricos tooth-powder
la tortilla de huevos omelette

PREGUNTAS

A

1. ¿A qué horas se levantó don Enrique? 2. ¿Quién despertó a Roberto y a Pedro? 3. ¿Oyeron los dos muchachos las campanas de la Catedral? 4. ¿Qué hizo Pedro mientras Roberto se afeitó? 5. ¿Qué clase de ropa decidieron ponerse los muchachos? 6. ¿Qué hizo Alicia antes de ir al comedor? 7. ¿Es Alicia rubia o morena? 8. ¿Cómo le pareció Alicia a Juanita esa mañana? 9. ¿Cómo estaba la mañana? 10. ¿Qué comió Juanita al desayuno? 11. ¿Quiénes pidieron chocolate con queso y tostadas? 12. ¿Quién se comió dos huevos crudos esa mañana? 13. ¿Le gusta a Alicia ensayarlo todo una vez?

B

1. ¿A qué horas se levanta usted? 2. ¿Tiene usted despertador en su cuarto? 3. ¿Le gusta a usted levantarse? 4. ¿Qué hace usted al levantarse? 5. ¿Prefiere usted el baño frío al caliente? 6. ¿Con qué se limpia usted los dientes? 7. ¿Se pone usted ropa blanca? 8. ¿Se pinta usted las pestañas? 9. ¿Qué come usted al desayuno? 10. ¿Ha comido usted papaya? 11. ¿Le gusta a usted beber jugo de fruta al desayuno? 12. ¿Qué jugo bebe usted entonces? 13. ¿Come usted pescado al desayuno? 14. ¿Cómo toma usted los huevos, fritos o revueltos? 15. ¿Ha comido usted huevos al natural?

[19] **gesto** expression, grimace
[20] **ensayar** to try out
[21] **las mujeres tenemos . . .** We women have . . .

EJERCICIOS

I. *¿Para qué sirven las cosas siguientes?* el despertador; los polvos dentífricos; el jabón; el ascensor; el camión; la maleta.

II. *Conversation.* You and a friend are in a restaurant. Order a light breakfast for your friend, who is not very hungry, and a complete breakfast for yourself.

EN "LA GATA GOLOSA"[1]

26

LECCIÓN VEINTISÉIS

JUANITA. — Iremos pronto, ¿ verdad ? Ya es tiempo de cenar.[2]

ENRIQUE. — ¿ A las siete ? Aquí nadie cena tan temprano. Tenemos que esperar hasta las nueve o las diez.

JUANITA. — ¡ Imposible ! Yo estoy muerta de hambre.

ENRIQUE. — Pues hay que tener paciencia. ¿ Y a dónde iremos ? ¿ Al *Galicia,* que es un restaurante español, o a *La Gata Golosa,* que es criollo ?[3] Los dos son famosos.

ALICIA. — A *La Gata Golosa.* A mí me encanta lo criollo. Además, ese nombre es muy sugestivo.[4] Me figuro que en *La Gata* comeremos maravillas. ¿ Vamos allá ?

ROBERTO. — Bueno, vamos a ver esa gatica . . .

* * *

ENRIQUE. — A ver, mozo: ¿ tiene una mesa para cinco personas ?

EL MOZO. — ¿ Para las señoritas también ?

ENRIQUE. — Por supuesto. Una mesa bien situada, ¿ eh ?

EL MOZO. — Con mucho gusto, señor. Pasen ustedes. Allá en aquélla estarán bien.

* * *

PEDRO. — Por lo que veo, nuestra llegada[5] ha causado sensación. Todos nos miran, y hablan en voz baja.

ENRIQUE. — Es natural. ¿ No ven que Juanita y Alicia son aquí las únicas mujeres ?

ALICIA. — ¡ Oh, qué divertido ! ¿ Y por qué ?

ENRIQUE. — Porque aquí las señoras comen en sus casas, o en los hoteles y casinos de moda, pero no en un restaurante como éste. Es la costumbre.

1 **goloso** fond of dainties
2 **cenar** to eat supper
3 **criollo** native; Latin American
4 **sugestivo** graphic
5 **la llegada** arrival

* * *

ROBERTO. — ¡ Qué diferente es todo esto ! ¿ De qué hablarán con tanta animación esos señores ?

ENRIQUE. — Un poco de todo. Aquí vienen los políticos, los artistas, los hombres de negocios, y vienen no sólo a comer, sino a charlar.

ALICIA. — ¡ Qué pintoresco ! Sin duda hablarán del amor y las mujeres.

ENRIQUE. — En estos momentos estarán hablando de usted y de Juanita. Pero por lo general hablan de arte, de literatura, de política, es decir, de cosas más importantes que el amor y las mujeres . . .

ALICIA. — ¡ Señor Profesor ! . . . ¿ Cómo se atreve usted a decir . . . ?

ENRIQUE. — Perdone usted, Alicia, es una broma . . .

* * *

UN MOZO. — ¿ Qué desean las señoritas, los señores ? Ahí tienen la lista de platos. ¿ No quieren tomar primero un *cocktail* (coctel) de Bacardí ? [6] Nuestro Bacardí es famoso en todo el mundo.

ENRIQUE. — Está bien. Sírvanos unos Bacardíes. (*A sus compañeros*). ¿ Quieren que pidamos el cubierto ? [7] Es lo mejor. (*Leyendo en la lista de platos*). Oigan ustedes: Sopa [8] de legumbres; frito criollo; [9] filete a la parrilla,[10] con setas (hongos) [11] y salsa cubana; flan de piña; [12] vino Santa Rita; café negro; crema de cacao,[13] y cigarros y cigarrillos. ¿ Qué les parece ?

ALICIA. — Frito criollo . . . ¿ Y qué es eso ?

EL MOZO. — Es la especialidad de *La Gata Golosa:* arroz,[14] carne molida,[15] huevos y rebanadas [16] de plátano maduro,[17] todo frito y bien condimentado,[18] como lo verá la señorita.

ALICIA. — Ah, *todo eso suena muy bien . . .*

* * *

PEDRO. — ¡ Qué cena ! [19] . . . Yo jamás había comido tanto.

JUANITA. — Yo habría tenido bastante con la mitad . . .

[6] **Bacardí** *a type of rum*
[7] **el cubierto** the regular dinner
[8] **la sopa** soup
[9] **el frito criollo** *a Latin American dish*
[10] **el filete a la parrilla** grilled steak
[11] **las setas (los hongos)** mushrooms
[12] **el flan de piña** pineapple custard
[13] **la crema de cacao** *a liqueur*
[14] **el arroz** rice
[15] **moler** to grind
[16] **la rebanada** slice
[17] **el plátano maduro** ripe banana
[18] **condimentar** to season
[19] **la cena** supper

ALICIA. — Yo también, pero *La Gata Golosa* . . . ¡ es maravillosa ! Lo digo así, con rima y todo.

ROBERTO. — Naturalmente. Como te pareces a la gatica y te estás volviendo poeta . . .

ALICIA. — ¡ Roberto Jones ! Pero, ¿ no es verdad que todo estaba muy rico ? ¡ Ah !, ese filete a la parrilla, esa salsa y ese frito tan criollo y tan sabroso[20] . . .

JUANITA. — ¿ Y ahora qué haremos ? Yo no puedo ni moverme.

ENRIQUE. — Pues vamos a dormir. Ya es media noche.

PREGUNTAS

A

1. ¿ A qué horas fueron a cenar don Enrique y sus compañeros ? 2. ¿ A qué restaurante fueron ? 3. ¿ Por qué propuso Alicia que fuesen a *La Gata Golosa ?* 4. ¿ Había mujeres en el restaurante ? 5. ¿ Por qué causaron sensación Juanita y Alicia en el restaurante ? 6. ¿ De qué hablan los hombres en los restaurantes hispanoamericanos ? 7. ¿ Qué bebieron nuestros turistas antes de comer ? 8. ¿ Qué es un frito criollo ? 9. ¿ Qué comieron los turistas ? 10. ¿ Cuándo bebieron crema de cacao ? 11. ¿ A qué horas terminaron la cena ? 12. ¿ Qué hicieron después de cenar ?

B

1. ¿ Come usted en los restaurantes ? 2. ¿ Dónde come usted por lo general ? 3. ¿ Ha comido usted plátanos fritos ? 4. ¿ A qué horas come usted ? 5. ¿ Se cena tarde o temprano en los Estados Unidos ? 6. ¿ Le gustaría a usted cenar a las diez de la noche ? 7. ¿ Bebe usted vino al cenar ? 8. ¿ Ha comido usted flan de piña ? 9. ¿ Bebe usted café al terminar la cena ? 10. ¿ Es bueno pedir el cubierto en un restaurante ? 11. ¿ Prefiere usted el servicio a la carta ? 12. ¿ Duerme usted después de comer ?

EJERCICIO

Conversation. You and some friends decide to have dinner in an expensive restaurant. Discuss: a. Where to go. b. How to get there. c. What each one will order for dinner.

[20] **sabroso** savory, tasty

A LA MESA

1. **los parroquianos (clientes)** customers
2. **la mesera** waitress
3. **el mantel** tablecloth
4. **la servilleta** napkin
5. **el delantal** apron
6. **el plato** plate, dish
7. **el platillo** small plate, saucer
8. **el servicio** table set
   la cuchara spoon
   la cucharita teaspoon
   el cuchillo knife
   los tenedores forks
9. **el vaso** glass
10. **la copita** small goblet
11. **la taza** cup
12. **el salero y el pimentero** salt and pepper shakers
13. **la flor** flower
14. **el florero** vase
15. **la azucarera (el azucarero)** sugar bowl
16. **la bandeja** tray
17. **la cacerola** casserole

PREGUNTAS

A

1. ¿ Cuántos parroquianos se ven en este cuadro ?
2. ¿ Dónde están sentados los parroquianos ?
3. ¿ Están sentados *a la mesa,* o *en la mesa* ?
4. ¿ Dónde está la mesera ?
5. ¿ Cómo está la mesera, de pie o sentada ?
6. ¿ Está servida la mesa ?
7. ¿ Han comido ya los parroquianos, o van a comer ?
8. ¿ Están listos para comer ?
9. ¿ Qué hay en la mesa ?
10. ¿ Hay en ella algo de comer ?
11. ¿ Hay en ella algo que beber ?
12. ¿ Qué tiene la señora en la mano ?
13. ¿ Qué está haciendo el caballero ?
14. ¿ Tiene el caballero el sombrero puesto ?
15. ¿ Qué les trae la mesera en las manos ?
16. ¿ Van los parroquianos a desayunar(se) ?
17. ¿ Es éste el comedor de una casa de familia ?
18. ¿ Están en casa este caballero y su familia ?

B

1. ¿ Come usted a menudo en los restaurantes y en los hoteles ?
2. ¿ Prefiere usted comer en casa ?
3. ¿ Cómo se llaman las muchachas que sirven en los restaurantes ?
4. ¿ Cómo se llaman las que sirven en las casas particulares ?
5. ¿ Con qué come usted la sopa ?
6. ¿ Les pone usted sal y pimienta a los alimentos ?
7. ¿ Con qué se los pone ?
8. ¿ Dónde se ponen los tenedores: a la izquierda o a la derecha ?
9. ¿ Con qué mano come usted ?
10. ¿ Qué hacemos con el cuchillo ? ¿ Qué hacemos con las cucharitas ?
11. ¿ En qué bebe usted el agua ? ¿ En qué bebe el café ?
12. ¿ Le pone usted azúcar al café ?
13. ¿ Para qué sirven las servilletas ?
14. ¿ Cuántas tazas de café bebe usted al día ?
15. ¿ Cuándo es bueno ponerle un poco de sal al agua que bebemos ?
16. ¿ Comió usted hoy ? ¿ Dónde ?

SACANDO FOTOGRAFÍAS[1]

27

LECCIÓN VEINTISIETE

ALICIA. — Saquemos una en este parque [2] tan bonito. ¿La sacas tú, Pedro? Yo quiero quedar con Juanita junto al monumento del poeta Martí.

PEDRO. — José Martí, el libertador de Cuba, ¿fué poeta también?

ALICIA. — Sí, Pedro. Oigan estos versos:

"Cultivo [3] una rosa blanca
en julio como en enero,
para el amigo sincero
que me da su mano franca.[4]

Y para el cruel que me arranca [5]
el corazón con que vivo,
cardo [6] ni ortiga [7] cultivo:
cultivo la rosa blanca."

Muy delicados, ¿verdad? . . . Pues son de Martí, y a mí me encantan.

JUANITA. — Y a mí también. ¿Vamos a sacar la película (*filma*)?

PEDRO. — Sí, ahora mismo. Caminen ustedes a lo largo [8] de la vereda (sendero),[9] y yo las voy *filmando* [10] a medida que [11] se acerquen al monumento. Tendremos así una película magnífica, con ese cielo azul, esas nubes, esas palmeras (palmas) [12] y esas flores de tan diversos colores.

ALICIA. — ¡Maravilloso! Yo voy a coger una rosa blanca.

JUANITA. — No, Alicia. Aquí se prohibe [13] coger flores.

1 **Sacar fotografías** To take pictures
2 **el parque** park
3 **cultivar** to raise
4 **franco** generous
5 **arrancar** to tear away
6 **el cardo** thistle
7 **la ortiga** nettle
8 **a lo largo de** along
9 **la vereda (el sendero)** path
10 **filmar** to take moving pictures
11 **a medida que** as
12 **la palmera (palma)** palm tree
13 **se prohibe . . .** it is forbidden to . . .

ALICIA. — Lo sé, pero . . . ¡ Es una de las rosas de Martí, y yo quiero llevarla de recuerdo ! [14]

* * *

JUANITA. — Pedro, ¿ le quedan más películas sin exponer ? [15] Hemos sacado tantas.

PEDRO. — Esta es la última, pero no importa. Vamos a comprar otras, si las hay en esta tienda.

UN DEPENDIENTE. — Buenos días, señoritas, señor.

PEDRO. — ¿ Tiene usted películas de color para esta Kodak ?

EL DEPENDIENTE. — Sí, señor, a tres pesos cada una.

PEDRO. — Hágame el favor de darme cinco. ¿ Puede usted hacer desarrollar (revelar) [16] éstas ?

EL DEPENDIENTE. — Sí, cómo no. Nuestro servicio es excelente y muy rápido. Mañana a las cinco de la tarde estarán listas. El desarrollo [17] de cada una le cuesta dos pesos. ¿ Quiere dejarlas ?

PEDRO. — Sí, señor. ¿ Debo pagar por adelantado ? [18]

EL DEPENDIENTE. — No, señor. Puede pagar cuando venga por ellas. ¿ El nombre de usted, y sus señas ? [19]

PEDRO. — Pedro Firestone, Hotel Miramar.

EL DEPENDIENTE. — Muy bien, señor Firestone. Mañana, a las cinco de la tarde.

PEDRO. — Magnífico. Vendré a las cinco. Hasta mañana.

EL DEPENDIENTE. — Servidor de usted.

VOCABULARIO SUPLEMENTARIO

la cámara (fotográfica) camera
la foto (fotografía) picture, photo
el rollo roll of pictures
sacar fotos (fotografías) to take pictures
sacar instantáneas to take snapshots
el trípode tripod

[14] **de recuerdo** as a souvenir
[15] **sin exponer** unexposed
[16] **hacer desarrollar (revelar)** to have developed
[17] **el desarrollo** development
[18] **por adelantado** in advance
[19] **las señas** address

PREGUNTAS

A

1. ¿Quién fué José Martí? 2. ¿Dónde está en la Habana el Monumento de Martí? 3. ¿Escribió versos el libertador de Cuba? 4. ¿Cuál es la flor de Martí? ¿Por qué? 5. ¿Por qué cree Pedro que será magnífica la película (filma) sacada en el Parque de Martí? 6. ¿Para qué cogió Alicia una rosa blanca en el parque? 7. ¿Se puede coger flores en los parques públicos? 8. ¿Han sacado muchas fotografías nuestros turistas? 9. ¿Qué clase de cámara tiene Pedro? 10. ¿A dónde van Pedro y sus amigas a comprar películas? 11. ¿Cuántas películas compró? 12. ¿Cuánto tendrá que pagar por el desarrollo de cada película?

B

1. ¿Le gusta a usted sacar fotos? 2. ¿Qué clase de cámara tiene usted? 3. ¿Es fácil sacar fotografías de color? 4. ¿Saca usted muchas instantáneas? 5. ¿Saca usted fotos de tiempo? 6. ¿Para qué usa usted un trípode? ¿Cuándo? 7. ¿Qué hace usted con las fotos que saca? 8. ¿Dónde guarda usted las fotos que saca? 9. ¿Es usted aficionado a la fotografía? 10. ¿Desarrolla (revela) usted sus propias fotografías? 11. ¿Ha aprendido usted el poema de Martí que figura en esta leccion? 12. ¿Por qué no lo aprende usted?

EJERCICIO

Empléense estas expresiones en oraciones completas: por poco; lo de siempre; tener que; dar una vuelta; dejarse de bromas; los de a cinco dólares; acabar de; hay que; volverse; se prohibe; a medida que; me quedan; por adelantado; hacer desarrollar.

EN EL EXPRESO AMERICANO

28

LECCIÓN VEINTIOCHO

ENRIQUE. — Hemos estado una semana aquí, y no hemos ido al Expreso Americano a ver si tenemos correo [1] allá. ¿ No creen que debemos ir ?

ROBERTO. — Sí, don Enrique, ahora mismo. Alicia y yo no hemos tenido noticias de la familia.

ALICIA. — Y puede ser que [2] haya una carta de papá, con un chequecito . . . ¿ quién sabe ? Papá es tan querido.

PEDRO. — Bueno, vamos. Yo necesito cambiar unos cheques, pues no me queda dinero para nada. Aquí el dinero se le sale a uno de las manos.[3]

ENRIQUE. — Es verdad. También Juanita y yo tenemos que cambiar unos cheques.

* * *

ENRIQUE. — Buenos días, señor. Yo soy Enrique Brown, y éstos son: mi esposa Juanita, y mis amigos Alicia y Roberto Jones, y Pedro Firestone. ¿ No hay correo para nosotros ?

EL DEPENDIENTE. — Creo que sí hay algo para ustedes. Un momento, por favor. (*Examina el correo*). Sí, señores. Unas cartas y unas revistas.

ALICIA. — ¡ A ver, a ver ! ¡ Una carta de papá ! (*Abriéndola muy de prisa*). *¡ Oo-lalá !* ¡ Lo que yo me temía: [4] un chequecito de cien dólares ! ¡ Qué bueno !

ROBERTO. — Y para mí una carta de mamá.

[1] **el correo** mail; postoffice
[2] **puede ser que** it's possible that
[3] **se le sale a uno de las manos** it slips through one's fingers
[4] **¡ Lo que yo me temía . . . !** Just what I was afraid of . . . !

PEDRO. — Lo mismo para mí.

JUANITA. — ¡ Y para nosotros una carta de mi hermana, y diez revistas !

* * *

ENRIQUE. — ¿ Puede usted cambiarnos unos cheques de viajero ?

EL DEPENDIENTE. — ¿ Del Expreso Americano ? Por supuesto. ¿ Tienen ustedes algún documento de identificación ?

ENRIQUE. — Sí, señor. Aquí tiene usted nuestras tarjetas de turista.

EL DEPENDIENTE. — Muy bien. ¿ Cuántos cheques desean cambiar ?

ENRIQUE. — Yo dos, uno de a veinte dólares, y otro de a diez.

PEDRO. — Y yo cinco, dos de a veinte dólares, y tres de a diez.

EL DEPENDIENTE. — Está bien. Tengan la bondad de firmarlos, que aquí tienen el dinero.

PEDRO. — Ese paquete [5] contiene unas películas fotográficas que deseo enviar a mis padres. ¿ Qué puedo hacer con él ?

EL DEPENDIENTE. — Puede llevarlo al correo. Pero si no sabe dónde está o no tiene tiempo de (para) ir, el Expreso se encargará de hacerlo.

PEDRO. — ¡ Qué bueno ! En ese caso, lo dejaré aquí.

EL DEPENDIENTE. — Como guste.[6] ¿ No cree que le conviene enviarlo por correo certificado ? [7] Es lo mejor. Le costará unos dos dólares, porque pesa libra y media, pero irá más seguro.

PEDRO. — Usted tiene razón. Lo enviaré certificado.

EL DEPENDIENTE. — Entonces sírvase sellar [8] el paquete; escriba en él su nombre y dirección, y llene este formulario.[9]

PEDRO. — Ya está. ¿ Tiene usted sellos (estampillas) de correo ? [10]

EL DEPENDIENTE. — Sí, señor, los (las) que usted quiera.

PEDRO. — Quiero diez de a cinco centavos, y uno (una) de urgencia.[11] ¿ Puede salir esta tarde una carta urgente [12] para los Estados Unidos ?

EL DEPENDIENTE. — Sí, señor, en el avión de las cinco. Pero si usted quiere ganar tiempo, lo mejor es que envíe el recado (mensaje) [13] por telégrafo. Una carta nocturna [14] no le costará mucho. Si desea escribirla, nosotros la enviaremos por teléfono.

[5] **el paquete** package
[6] **Como guste** As you wish
[7] **certificar** to register
[8] **sellar** to seal
[9] **el formulario** form, blank
[10] **el sello (la estampilla) de correo** postage stamp
[11] **de urgencia** special-delivery
[12] **la carta urgente** special-delivery letter
[13] **el recado (mensaje)** message
[14] **la carta nocturna** night letter

PEDRO. — No había pensado en ello. Lo haré ahora mismo, y gracias por su indicación.[15]

EL DEPENDIENTE. — No hay de qué. A su servicio.

VOCABULARIO SUPLEMENTARIO

el apartado (la casilla) post-office box
el buzón mailbox
el cartero postman
echar al correo (al buzón) to mail
endosar to endorse
cambiar (hacer efectivo) un cheque to cash a check
el paquete postal parcel post
la tarjeta postal postcard

PREGUNTAS

A

1. ¿Fueron nuestros turistas al Expreso Americano? 2. ¿Cuándo fueron? 3. ¿Por qué fueron? 4. ¿Qué había para ellos en el Expreso? 5. ¿Por qué se puso Alicia tan contenta al abrir la carta de su padre? 6. ¿Qué recibieron Juanita y don Enrique? 7. ¿Cuántos cheques de viajero cambió don Enrique? 8. ¿Fué Pedro al correo a enviar el paquete que tenía? 9. ¿Cómo lo envió? 10. ¿Lo envió certificado? 11. ¿Cuánto tuvo que pagar? 12. ¿Qué compró Pedro en el Expreso? 13. ¿Cómo se gana tiempo al enviar un recado (mensaje)? 14. ¿Envió Pedro el recado por telégrafo?

B

1. ¿Qué es el Expreso Americano? 2. ¿Tiene el Expreso Americano oficinas y agencias en todo el mundo? 3. ¿Las tiene en las ciudades o en las aldeas? 4. ¿Ha estado usted en alguna oficina del Expreso? 5. ¿Ha comprado usted cheques de viajero? ¿Cuándo? 6. ¿Dónde se pueden comprar los cheques del Expreso Americano? 7. ¿Qué lleva usted cuando viaja, dinero o cheques de viajero? 8. ¿Por qué es bueno llevar cheques de viajero? 9. ¿Dónde se pueden cambiar estos cheques? 10. ¿Es preciso firmar estos cheques para hacerlos efectivos? 11. ¿Cómo se endosa un cheque? 12. ¿Cómo se envía un recado urgente?

15 **la indicación** suggestion

EJERCICIOS

I. *Verdad o mentira que:* 1. El Expreso Americano tiene oficinas y agencias en casi todos los países civilizados. 2. Se puede cambiar cheques de viajero en el Expreso Americano. 3. Antes de cambiar un cheque el turista tiene que presentar documentos de identificación. 4. El pasaporte no es un buen documento de identificación. 5. Conviene enviar los paquetes de valor por correo certificado. 6. Una carta nocturna es barata.

II. *Conversation*

a. Ask someone to direct you to the postoffice.

b. Ask the clerk in the postoffice for 10 three-cent stamps, 5 ten-cent stamps and a special delivery stamp. Ask him to give you change for a five-dollar bill.

AL CAMPO

29

LECCIÓN VEINTINUEVE

JUANITA. — ¿ No crees tú que ya es tiempo de dar un paseo [1] por el campo ? Hace dos semanas que estamos en la Habana, y no lo hemos visto.

ENRIQUE. — Tienes razón, Juanita. Alicia está encantada con los bailes y las fiestas, y Pedro y Roberto no piensan sino en los deportes. Pero yo . . . ¡ qué diablos ! . . . No vine a Cuba sólo para ver la Capital. A mí me gustaría visitar a Trinidad. Dicen que es la ciudad más española de la Isla, y que tiene muchos monumentos coloniales. ¿ Tú qué opinas ?

JUANITA. — A mí me gustaría ver el campo. Siempre he querido ver una hacienda [2] de caña de azúcar.[3] ¿ No quisieras visitar una ?

ENRIQUE. — Por supuesto. En los Estados Unidos comemos azúcar todos los días, pero hay personas que no saben de donde viene. Alicia, por ejemplo . . . Vamos a verlo. ¡ Alicia, Pedro, Roberto !

LOS TRES. — Presentes. ¿ Qué desea, don Enrique ?

ENRIQUE. — Alicia, ¿ ha comido usted azúcar ?

ALICIA. — ¡ Qué pregunta ! Todos los días. De hecho,[4] yo no bebo café ni té sin ponerles tres o cuatro terroncitos.[5]

ENRIQUE. — ¡ De veras ! ¿ Y de dónde viene el azúcar ?

ALICIA. — ¿ El azúcar ? . . . De la tienda de comestibles. Eso todo el mundo lo sabe.

ENRIQUE. — ¿ Y de dónde se extrae ? [6]

ALICIA. — ¿ Pero qué es esto ? ¿ Un examen ? [7] No sea usted cruel, don Enrique. Ahora no estamos en la escuela.

ENRIQUE. — Perdone, Alicia: una pregunta más. ¿ Es el azúcar un producto vegetal [8] o mineral ?

1 **el paseo** trip, excursion
2 **la hacienda** plantation, farm
3 **la caña de azúcar** sugar cane
4 **De hecho** In fact
5 **el terroncito** small lump
6 **extraer** to extract
7 **el examen** examination
8 **vegetal** vegetable

ALICIA. — Mineral, don Enrique, claro está.

ROBERTO. — ¡ Ja, ja ! ¡ Qué gracioso ! Alicia, tú eres muy linda, pero también un poco tonta. El azúcar no es mineral, es animal.

ALICIA. — ¿ De veras ? ¡ El animal[9] eres tú !

PEDRO. — No, amigos, ni lo uno ni lo otro, como podremos verlo en un ingenio.[10] ¿ No es Cuba el país del azúcar ?

JUANITA. — ¡ Bravo, Pedro ! Es lo que yo quiero: ir al campo y ver un ingenio.

ENRIQUE. — Sí, señores. Vamos al campo a ver las haciendas, los cañaverales[11] y los tabacales.[12] Ustedes saben que Cuba produce también mucho tabaco de excelente calidad. Tenemos hoy un día magnífico. ¿ Vamos ahora mismo ?

PEDRO. — ¡ Oh ! . . . Si yo tuviera aquí mi De Soto . . .

ENRIQUE. — No importa que no lo tenga. Si quiere manejar, alquilemos[13] un coche; ¡ y al campo ! Cuba tiene carreteras[14] bien pavimentadas.

ALICIA. — ¡ Magnífico ! Manejaré yo, si a ustedes no les da miedo . . .

JUANITA. — Gracias, Alicia. Mejor es que maneje Pedro. Los cubanos andan muy de prisa, y podríamos tener un accidente. Además, si Pedro maneja, nosotras podremos gozar del[15] paisaje.[16]

ALICIA. — ¡ Ay, sí ! Que maneje Pedro. Es lo mejor. Los demás podremos ver los campos, las montañas, el cielo. ¿ Tú comprendes, Pedro . . . ?

PEDRO. — Sí, sí, mi amorcito[17] . . .

ALICIA. — ¡ No seas lisonjero ![18] Además, tú tienes que acostumbrarte a ciertas cosas. Algún día nos casamos, y entonces, ¿ sabes ? . . . Cada vez que yo quiera gozar del paisaje, tú tendrás que ser mi chofer.

PEDRO. — ¡ Por supuesto, Alicia mía, mi amorcito . . . !

VOCABULARIO SUPLEMENTARIO

el arrozal rice field
el azúcar granulado granulated sugar
el azúcar de remolacha beet sugar
la jira campestre excursion into the country
el maizal corn field
la miel honey, syrup
el trigal wheat field

---

[9] **ser animal** to be stupid
[10] **el ingenio** sugar mill; plantation
[11] **el cañaveral** cane field
[12] **el tabacal** tobacco field
[13] **alquilar** to hire, rent
[14] **la carretera** highway
[15] **gozar de** to enjoy
[16] **el paisaje** countryside, scenery
[17] **mi amorcito** my love, darling
[18] **lisonjero** flattering

PREGUNTAS

A

1. ¿Cuánto tiempo hace que están en la Habana nuestros turistas? 2. ¿Con qué está encantada Alicia? 3. ¿En qué piensan Pedro y Roberto? 4. ¿Por qué desea don Enrique visitar a Trinidad? 5. ¿Qué desea ver Juanita? 6. ¿Saben Alicia y su hermano qué es el azúcar? 7. ¿Qué clase de haciendas hay en Cuba? 8. ¿Cuáles son los productos principales de la Isla? 9. ¿Cuál es el país del azúcar? 10. ¿Por qué es famoso el tabaco cubano? 11. ¿Hay buenas carreteras en Cuba? 12. ¿Qué podrán ver Juanita y Alicia si Pedro maneja el coche?

B

1. ¿Come usted azúcar todos los días? 2. ¿En qué forma lo come usted? 3. ¿Cuántos terroncitos de azúcar le pone usted a una taza de café? 4. ¿Le pone usted azúcar al té? 5. ¿Le pone usted limón? 6. ¿Ha visto usted un ingenio de azúcar? ¿Una hacienda? ¿Un cañaveral? 7. ¿Hay tabacales en los Estados Unidos? ¿Dónde? 8. ¿Es famoso el tabaco de Virginia? 9. ¿Ha comido usted azúcar de remolacha? 10. ¿Es la caña la única fuente del azúcar? 11. ¿Contienen azúcar las frutas? ¿Cuáles? 12. ¿Se extrae azúcar de la caña del maíz? 13. ¿Se extrae de algunos árboles? 14. ¿Le gusta a usted la miel?

EJERCICIOS

I. *Escoja usted el grupo de palabras que no pertenezca:*

a. el jugo de tomate, las tostadas, el café con leche, el jugo de naranja, el frito criollo.
b. el té, el tocino, el café, la leche, el jugo de naranja.
c. la película, hacer desarrollar, la ciudad, sacar fotos, la instantánea.
d. el sobre, el sello, el telégrafo, el correo, certificar.
e. el tabaco, el azúcar, extraer, el ingenio, el cañaveral.

II. *Conversation.* Make questions based on the following expressions, and ask members of the class to answer them: marearse; las diversiones a bordo de un vapor; pasando por la aduana; el despertador; la comida criolla; sacando fotografías; el Expreso Americano.

UNA JIRA CAMPESTRE

1. **el puente** bridge
2. **el río (el canal)** river (canal)
3. **la canoa** canoe
4. **el canalete** paddle
5. **el fogón** camp fire
6. **la cafetera** coffee pot
7. **preparando la merienda (el almuerzo, el lonche)** preparing lunch
8. **el tronco** log
9. **la radio portátil** portable radio
10. **asando longanizas** roasting wieners
11. **fumando en pipa** smoking a pipe
12. **el pescador** fisherman
13. **el chubasco (aguacero)** downpour of rain
14. **el rayo** lightning
15. **el cielo anublado** overcast sky
16. **amarrando las canoas** tying up the canoes

PREGUNTAS

A

1. ¿ Qué es una jira campestre ?
2. ¿ Quiénes fueron a esta jira ?
3. ¿ A dónde fueron ?
4. ¿ Cómo fueron ?
5. ¿ Qué hicieron después de cruzar el río en canoas ?
6. ¿ Dónde sirvieron el almuerzo ?
7. ¿ Dónde hicieron un fogón ?
8. ¿ Para qué lo hicieron ?
9. ¿ Qué hicieron después de almorzar ?
10. ¿ Dónde se sentó la niña ?
11. ¿ Por qué se sentó junto al fogón ?
12. ¿ Quién se puso a pescar ?
13. ¿ Quién se puso a leer, y quién a fumar ?
14. ¿ Cómo terminó la jira ?
15. ¿ Por qué terminó ?

B

1. ¿ Le gustan a usted las jiras de campo ?
2. ¿ Cuándo hace usted jiras campestres ?
3. ¿ Son populares estas jiras en los Estados Unidos ?
4. ¿ Con quién va usted al campo ?
5. ¿ Por qué le gusta a usted ir al campo ?
6. ¿ Sabe usted manejar una canoa ?
7. ¿ Con qué se maneja una canoa ?
8. ¿ Es peligroso andar en canoa ?
9. ¿ Lleva usted una radio cuando va al campo ? ¿ Por qué ?
10. ¿ Le gusta a usted asar longanizas ?
11. ¿ A quiénes les gustan mucho las longanizas asadas ?
12. ¿ Cómo acaban (terminan) a menudo las jiras de campo ?
13. ¿ Cuándo va usted a pescar ?
14. ¿ A dónde va usted a pescar ?
15. ¿ A quiénes les gusta fumar en pipa ?
16. ¿ Dónde se prepara el café ?
17. ¿ Dónde se asan las longanizas ?
18. ¿ Qué hace usted cuando llueve ?

IMPRESIONES Y ACCIDENTES

30

LECCIÓN TREINTA

ENRIQUE. — Juanita, ¿ qué dices tú del ingenio que acabamos de visitar ?

JUANITA. — Es muy interesante. Ahora sí tengo una buena idea de la caña y del azúcar.

ENRIQUE. — ¿ Y usted qué dice, Roberto ?

ROBERTO. — Me gustó mucho el sistema de moler la caña, sacándole el jugo (caldo) para luego concentrarlo por medio del calor; y me pareció muy eficiente el modo de refinar y secar el azúcar para exportarlo.

ENRIQUE. — ¿ Y a usted, Alicia, le gustó todo ?

ALICIA. — Sí, don Enrique. Todo es maravilloso. Los cañaverales son muy bellos: parecen mares de lanzas[1] verdes que se mecen[2] y suspiran al viento.[3] ¿ Y los cortadores[4] de caña ? ¡ Qué hombres más fuertes ! Bañados en sudor,[5] y con sus machetes brillando al sol,[6] son un espectáculo emocionante.

ENRIQUE. — ¿ Y el ingenio ?

ALICIA. — Es el más moderno de la Isla, según nos dijo el gerente,[7] que es tan guapo.

PEDRO. — ¡ Ay, sí ! . . . Y que tiene una sonrisa[8] *tan ancha,* y unos cabellos tan crespos[9] . . .

JUANITA. — No, Pedro, eso no, ni menos ahora[10] . . . Son las cuatro y estamos a cien millas de la Habana. Mejor es que nos vayamos.

[1] **la lanza** spear
[2] **mecerse** to sway, rock
[3] **suspirar al viento** to sigh in the wind
[4] **el cortador** cutter
[5] **el sudor** perspiration
[6] **brillar al sol** to flash in the sun
[7] **el gerente** manager
[8] **la sonrisa** smile
[9] **crespo** curly
[10] **ni menos ahora** and especially not now

* * *

ENRIQUE. — Pedro, pare usted. Parece que ha ocurrido un accidente. Vamos a ver.

JUANITA. — ¡ No, no ! Quizás hay heridos.[11] Mejor es que sigamos.

ENRIQUE. — No, Juanita. Si hay heridos, podremos ayudarlos. Pare usted, Pedro.

PEDRO. — Sí, señor, ya está. Aquí sólo hay un burro muerto, y dos hombres disputando.[12] Oigan lo que dicen.

UN HOMBRE. — Pero ¡ qué desgracia ! ¿ Por qué no paró usted ?

EL CHOFER. — Porque los frenos no sirven.[13]

EL HOMBRE. — ¿ Qué van a servir,[14] si anda a cien kilómetros por hora ? Y mi pobre burro . . . Ni patalea siquiera.[15]

EL CHOFER. — ¿ Y por qué diablos anda usted con burros en la carretera ?

EL HOMBRE. — Es mi derecho. Los caminos son de todos.

EL CHOFER. — No de los burros como usted.

EL HOMBRE. — ¿ Qué me dice ? ¡ A mí nadie me llama así ! Si quiere, aquí mismo veremos quién es más hombre.[16]

ENRIQUE. — No, amigos, nada de riñas.[17] Ahí viene un policía.

EL HOMBRE. — ¡ Oh !, en ese caso . . . Sí, compañero, la desgracia ha sido grande, como le decía.

EL CHOFER. — Sí, amigo, muy grande.

EL POLICÍA. — A ver, señores, ¿ qué ha pasado ?

EL CHOFER. — Un ligero accidente, señor. Venía yo por la carretera, a menos de cuarenta por hora, pero de repente ese burro se me atravesó,[18] y . . . ¡ claro ! . . .

EL HOMBRE. — Sí, claro, pues lo mató. Ahí lo ve. ¡ Ni patalea !

EL POLICÍA. — ¿ Y cuándo sucedió esto ?

EL CHOFER. — ¡ Quién sabe ! . . . Hace una hora quizás.

EL POLICÍA. — ¿ Y no le prestaron ayuda al pobre burro ?

EL CHOFER. — No pudimos, señor agente. Como el amigo y yo estábamos tratando de saber lo que había sucedido, nos olvidamos del burro . . .

[11] **el herido** injured person

[12] **disputar** to dispute, argue

[13] **los frenos no sirven** the brakes are not working

[14] **¿ Qué van a servir ?** How can they work?

[15] **Ni patalea siquiera** He can't even kick

[16] **ver quién es más hombre** to see who is the better man

[17] **nada de riñas** no fighting

[18] **se me atravesó** crossed in front of me

ALICIA. — ¡ Ay, qué hombres ! Mataron al burro, y se pusieron a discutir. ¡ Qué divertidos, ¿ verdad ?

JUANITA. — ¿ Divertidos ? No, Alicia, ¡ criminales ! La justicia debe castigarlos.[19]

PEDRO. — Y nosotros debemos seguir, porque ya es tarde. La justicia hará lo que convenga, ¿ verdad ?

ENRIQUE. — Sin duda.

PREGUNTAS

A

1. ¿ Cómo le pareció el ingenio a Juanita ?
2. ¿ Qué le gustó mucho a Roberto ?
3. ¿ Qué parecen los cañaverales, según Alicia ?
4. ¿ Qué hacen los cortadores de caña ?
5. ¿ Con qué la cortan ?
6. ¿ Cómo se le saca el caldo a la caña ?
7. ¿ Por medio de qué se concentra el jugo de la caña ?
8. ¿ Cómo le pareció a Alicia el gerente del ingenio ?
9. ¿ Qué hallaron los turistas en la carretera al volver a la Habana ?
10. ¿ Qué le sucedió al burro ?
11. ¿ Hubo una riña entre el hombre y el chofer ?
12. ¿ Por qué no ?

B

1. ¿ Qué es un cañaveral ?
2. ¿ Ha visto usted un ingenio de azúcar ?
3. ¿ Es hermosa la caña de azúcar ?
4. ¿ Le gusta a usted el azúcar de caña ?
5. ¿ Hay cañaverales en Luisiana y en la Florida ?
6. ¿ Los ha visto usted ?
7. ¿ Ha tenido usted un accidente ?
8. ¿ En qué días hay muchos accidentes de automóvil en las carreteras ?
9. ¿ Por qué hay tantos ?
10. ¿ Qué es lo mejor para evitar accidentes de automóvil ?

[19] **castigar** to punish

EJERCICIOS

I. *Combínese cada expresión de A con una de B para formar oraciones completas:*

a. Cuando no le quedan películas sin exponer al rollo; por lo general, en los parques públicos; los turistas van al Expreso Americano; para ganar tiempo; el azúcar; los cañaverales.

b. Se prohibe coger flores; es un producto vegetal; para ver si tienen correo allá y para cambiar cheques; lo mejor es enviar un recado por telégrafo; el fotógrafo las hace desarrollar; parecen mares de lanzas verdes.

II. *Conversation.* Describe a traffic accident which you have witnessed.

UN ACCIDENTE

I. *Antes del accidente:* la señal de parada; el peatón descuidado; el chofer descuidado; la bocacalle.

II. *El accidente:* el choque; el coche volcado; la ambulancia; la camilla; el herido; el asistente; el gendarme.

III. *En el hospital:* la cama; el herido; el termómetro; las vendas; el timbre; la enfermera; el estuche (tijeras, jeringa, vendas, esparadrapo).

IV. *En el juzgado:* el juez; el testigo; el fiscal; el acusado (reo); la bandera cubana.

PREGUNTAS

A

1. ¿ Qué clase de accidente ha ocurrido aquí ?
2. ¿ Dónde ocurrió este accidente ?
3. ¿ Por qué ocurrió ?
4. ¿ Quiénes fueron responsables del accidente ?
5. ¿ Chocaron los dos coches en este accidente ?
6. ¿ Cómo chocaron ?
7. ¿ Cuántos heridos hubo en el accidente ?
8. ¿ Quiénes vinieron al ocurrir el accidente ?
9. ¿ Quién llevó al herido al hospital ?
10. ¿ En qué lo llevó ?
11. ¿ Dónde fué herido el peatón ?
12. ¿ Dónde pusieron al herido en el hospital ?
13. ¿ Qué le pusieron en la cabeza ?
14. ¿ Quién está con el herido en el hospital ?
15. ¿ Qué trae la enfermera en las manos ?
16. ¿ Fué preciso operar al herido en el hospital ?
17. ¿ Quién le trajo unas flores al herido ?
18. ¿ Quiénes están en el juzgado ?
19. ¿ Quién acusa al chofer descuidado ?
20. ¿ Sufrió alguna herida el chofer en el accidente ?

B

1. ¿ Hay ahora muchos accidentes de tráfico ? ¿ Por qué ?
2. ¿ Ha tenido usted algún accidente automoviliario ?
3. ¿ Qué debe usted hacer en caso de accidentes ?
4. ¿ Por qué no le ha ocurrido a usted ningún accidente ?
5. ¿ Es bueno andar con cuidado por las calles de una ciudad ?
6. ¿ Qué les sucede a los peatones descuidados ?
7. ¿ Por dónde deben andar los peatones cuando van por las calles ?
8. ¿ Ha estado usted en un hospital a causa de un accidente ?
9. ¿ Les tiene usted miedo a los choferes ?
10. ¿ Son todos descuidados ?
11. ¿ Andan muy de prisa ?
12. ¿ Ha estado usted en un juzgado ? ¿ Por qué ?

CON EL MÉDICO

31

LECCIÓN TREINTA Y UNA

JUANITA. — Roberto, ¿ no cree usted que es bueno consultar un médico ?

ROBERTO. — ¿ Pero a quién puedo consultar aquí ?

ENRIQUE. — Eso es muy sencillo. Sin duda el gerente del Miramar nos podrá decir.

* * *

ENRIQUE. — Señor gerente: parece que mi amigo Roberto ha cogido un resfriado.[1] ¿ Podría usted decirnos qué médico se especializa aquí en esa enfermedad ? [2]

EL GERENTE. — Vamos a ver . . . Sí, el doctor Antonio Martínez. Él hizo sus estudios en París, y ésa es su especialidad. Si ustedes lo desean, lo llamaré ahora mismo, a ver si puede darle a don Roberto una consulta.[3] Es un médico muy ocupado.

ROBERTO. — Muy bien, gracias.

EL GERENTE. — (*Llamando por teléfono*). ¿ A ver ? . . . ¿ Con el consultorio del [4] doctor Martínez ? . . . Uno de nuestros parroquianos del Miramar, el joven norteamericano don Roberto Jones, se siente indispuesto,[5] y quiere hacerle una consulta . . . ¿ A las dos ? . . . Muy bien, gracias. (*Cuelga la bocina*).[6] Sí, don Roberto podrá ir al consultorio del doctor Martínez a las dos. Está cerca del hotel, en la Calle Maceo, números 840 y 842.

ROBERTO. — Está bien. Iré entonces.

* * *

UNA ENFERMERA. — ¿ Es usted don Roberto Jones ?

ROBERTO. — Sí, señorita.

[1] **el resfriado** cold
[2] **la enfermedad** illness
[3] **la consulta** appointment, consultation
[4] **¿ Con el consultorio de . . . ?** Am I connected with the office of . . . ?
[5] **indispuesto** indisposed
[6] **la bocina** receiver

LA ENFERMERA. — Sírvase pasar al consultorio. El doctor Martínez lo espera. Por aquí.[7]

ROBERTO. — Muchas gracias.

EL MÉDICO. — A ver, señor Jones: ¿ cómo se siente usted ?

ROBERTO. — (*Estornudando*).[8] ¡ Ah, chisss ! No muy bien, como usted lo ve. Me duelen la cabeza y la garganta.[9]

EL MÉDICO. — Ajá . . . Siéntese usted. Voy a tomarle el pulso y la temperatura. (*Se los toma*). El pulso está un poco agitado, y usted tiene dos grados de fiebre (calentura).[10] Ahora tenga la bondad de quitarse el saco,[11] la camisa y la camiseta.[12] Quiero examinarlo bien. (*Lo examina*). Ya está. No hay síntomas graves. Se trata de un resfriado y nada más. No es cosa de cuidado,[13] y usted estará pronto bien si sigue mis instrucciones. Lo primero, descansar. Lo mejor sería que guardase cama [14] por uno o dos días. Además, se tomará usted este purgante; [15] hará gárgaras [16] de glicerina, y tomará estas pastillas,[17] una cada dos horas.

ROBERTO. — ¿ Tendré que ponerme a dieta ?

EL MÉDICO. — No, señor. Usted puede comer lo que quiera, dentro de los límites de la razón, naturalmente . . . Y si dentro de dos días no está bien, sírvase pasar otra vez por [18] mi consultorio.

ROBERTO. — Está bien. ¿ Y el valor de la consulta ?

EL MÉDICO. — Diez dólares, por la consulta y los medicamentos.[19]

ROBERTO. — Aquí tiene usted, y muchas gracias, doctor.

EL MÉDICO. — A usted,[20] señor Jones. No olvidar mis instrucciones, ¿ eh ?

ROBERTO. — No, doctor. Las seguiré en todo. Adiós.

EL MÉDICO. — Adiós, y buena suerte.

7 **Por aquí** This way
8 **estornudar** to sneeze
9 **Me duelen la cabeza y la garganta** My head and my throat ache
10 **la fiebre (calentura)** fever
11 **el saco** coat
12 **la camiseta** undershirt
13 **ser cosa de cuidado** to be a matter for worry
14 **guardar cama** to stay in bed
15 **el purgante** laxative
16 **hacer gárgaras** to gargle
17 **la pastilla** lozenge
18 **pasar por** to drop in
19 **el medicamento** medicine
20 **A usted** Thanks to you

VOCABULARIO SUPLEMENTARIO

la consulta appointment; **estar en (de) —** to be in consultation; **gabinete de —** office; **horas de —** office hours
el dentista dentist
la dentistería dental office
el dolor pain; **— de cabeza** headache; **— de estómago** stomach ache; **— de muela** toothache
la enfermedad illness, sickness; **— leve (grave)** slight (severe) illness
los escalofríos chills, shivers
la píldora pill
la receta prescription
recetar to prescribe
respirar to breathe
la tos cough
toser to cough

PREGUNTAS

A

1. ¿ Por qué fueron don Enrique y Roberto a hablar con el gerente del Miramar ?
2. ¿ Quién es el doctor Martínez ?
3. ¿ Dónde estudió este médico ?
4. ¿ Quién llamó al consultorio del doctor Martínez ?
5. ¿ Cómo llamó ?
6. ¿ Dónde tenía el doctor Martínez su consultorio ?
7. ¿ A qué horas tuvo lugar la consulta ?
8. ¿ Quién recibió a Roberto en el consultorio ?
9. ¿ Qué le dolía a Roberto ?
10. ¿ Qué hizo el médico ?
11. ¿ Qué tenía Roberto ?
12. ¿ Qué le recetó el médico ?
13. ¿ Cuánto le pagó al médico Roberto ?
14. ¿ Le pagó sólo por la consulta ?

B

1. ¿ Es el resfriado una enfermedad grave ?
2. ¿ Son comunes los resfriados ?
3. ¿ Ha tenido usted resfriados ?
4. ¿ Qué hace usted cuando tiene uno ?

5. ¿ Consulta usted al médico cuando se siente mal ?
6. ¿ Es bueno guardar cama en caso de enfermedad ?
7. ¿ Va usted al dentista a menudo ?
8. ¿ Cuándo va al dentista ?
9. ¿ Qué hace usted cuando le duele la garganta ?
10. ¿ Cuando tiene tos ?
11. ¿ Quién receta a los enfermos ?
12. ¿ Ha tenido usted dolores de cabeza ?

EJERCICIO

Conversation. Call the doctor and ask him for an appointment, because you feel ill. Tell him about your symptoms — cough, temperature, headache, etc.

EL CUERPO HUMANO

La cabeza: The head **el pelo** hair **las cejas** eyebrows **los ojos** eyes **la nariz** nose **las orejas** ears **la boca** mouth **los labios** lips **la mejilla** cheek **la barbilla** chin **el cuello** neck

El tronco: The trunk **los hombros** shoulders **el pecho** chest **el estómago** stomach **los costados** side **las costillas** ribs **la cintura** waist **la espalda** back

Las extremidades:

a. **el brazo** arm	**el músculo** muscle	**el codo** elbow
la muñeca wrist	**la mano** hand	**los dedos** fingers
b. **la pierna** leg	**la cadera** hip	**el muslo** thigh
la rodilla knee	**la pantorrilla** calf	**el pie** foot
el talón heel	**el tobillo** ankle	**los dedos** toes

PREGUNTAS

A

1. ¿ Qué representa este grabado ?
2. ¿ Es el anuncio de un circo, o es una escena de circo ?
3. ¿ Cómo lo sabe usted ?
4. ¿ Cómo se llama el enano ?
5. ¿ Cuál de los cuatro es el más alto ?
6. ¿ Qué tiene "Pulgarcito" en la mano ?
7. ¿ Qué hace "el hombre más fuerte del mundo" ?
8. ¿ Qué está haciendo el "más flaco" ?
9. ¿ Cómo está la mujer, sentada o de pie ?
10. ¿ Dónde está sentada ?
11. ¿ Cuántos espectadores se ven en el grabado ?
12. ¿ Quiénes son los espectadores ?
13. ¿ Es "Pulgarcito" tan alto como el hombre flaco ?
14. ¿ Tiene músculos muy grandes el hombre fuerte ?

B

1. ¿ Ha visto usted enanos ?
2. ¿ Dónde los ha visto usted ?
3. ¿ Quién es ahora el hombre más fuerte del mundo ?
4. ¿ Quién es el enano más famoso de los Estados Unidos ?
5. ¿ Por qué es tan famoso este enano ?
6. ¿ Le gusta a usted ir a los circos ?
7. ¿ Cuál es el circo más famoso de los Estados Unidos ?
8. ¿ Qué ha visto usted en este circo ?
9. ¿ Quiénes van a los circos ? ¿ Por qué ?
10. ¿ Cuáles son las partes principales del cuerpo humano ?
11. ¿ Cómo se llaman las extremidades del cuerpo humano ?
12. ¿ Qué partes componen la cabeza ? ¿ El tronco ?
13. ¿ Desea usted ser fuerte ?
14. ¿ Son populares los hombres gordos ?
15. ¿ Son populares los hombres flacos ?
16. ¿ Tiene usted los ojos azules ?
17. ¿ Es deseable tener buena salud ?
18. ¿ Qué se necesita para tener buena salud ?
19. ¿ Se necesita ser médico para tener buena salud ?
20. ¿ Es bueno cuidar bien el cuerpo ?

EN LA PLAYA

32

LECCIÓN TREINTA Y DOS

ENRIQUE. — A los cubanos les gustan mucho las playas, ¿ verdad ?

PEDRO. — Ya lo creo. En la de Marianao se ven miles de personas todos los días. Es natural. Con el calor que hace y esta playa tan hermosa, yo no las culpo [1] si vienen a menudo.

ROBERTO. — Ni yo tampoco, don Enrique. Nosotros venimos a la playa mientras usted y Juanita van a los museos y a las bibliotecas.

ENRIQUE. — ¿ Y cómo se divierten aquí ?

PEDRO. — Oh . . . Vamos a nadar y a remar [2] unas veces, y otras a pescar [3] y a navegar.[4] El Mar Caribe es ideal. Ayer Roberto y yo navegamos toda la tarde. Es delicioso (el) deslizarse [5] por aguas tan azules y con brisas tan frescas.

ENRIQUE. — ¿ Y la pesca qué tal ? [6]

ROBERTO. — Maravillosa. Esta mañana cogí un sábalo [7] enorme.

ENRIQUE. — ¿ De dos pies de largo ? [8]

ROBERTO. — ¡ De tres, don Enrique ! Me dió más de una hora de juego.[9]

ENRIQUE. — ¡ De veras ! De seguro, cuando volvamos a los Estados Unidos, ese sábalo habrá crecido un poco más, ¿ eh, Roberto ? . . . Y usted, Alicia, ¿ qué hace en la playa ?

ALICIA. — ¿ Yo ? Unas veces voy a nadar, y otras . . . Marianao es un encanto. ¿ Quién no podría pasar días enteros aquí, en traje de baño, echada [10] en esta playa de arenas [11] blancas y finas, o jugando al balón [12] con los amigos . . .

[1] **culpar** to blame
[2] **remar** to row; **ir a —** to go rowing
[3] **pescar** to fish; **ir a —** to go fishing
[4] **navegar** to sail; **ir a —** to go sailing
[5] **deslizarse** to glide
[6] **¿ Y la pesca qué tal ?** And how is fishing?
[7] **el sábalo** tarpon
[8] **de largo** in length
[9] **me dió una hora de juego** I had to play it for an hour
[10] **echada** lying
[11] **la arena** sand
[12] **jugar al balón** to play pushball

PEDRO. — Para Alicia esto es cosa de otro mundo.[13] Con sus cabellos rubios y su traje *Jansen,* ella causa sensación. Los cubanos no la pierden de vista.[14] Y a propósito: ¿qué hiciste ayer mientras Roberto y yo navegábamos?

ALICIA. — ¡Oh, nada de particular! Después de nadar un poco, Juanita y yo fuimos con Paco Fuentes al Casino. Nos tomamos un *cocktail* y miramos el juego de ruleta. Y a propósito: no olviden que el sábado iremos a la fiesta del Casino. Paco y sus padres nos hicieron una invitación muy especial.

PEDRO. — Sí, sí, tan especial que no podremos rehusarla.[15] ¡Imposible! El mundo se acabaría si el sábado no fuéramos al Casino.

ALICIA. — Pedro, no seas tan sarcástico. Los padres de Paco son muy simpáticos.

PEDRO. — Y Paco . . . ¡es un encanto!

El tenis

JUANITA. — Sí, a mí me gustaría ver esa partida. Van a jugar los dos Panchos: nuestro Pancho González, y el ecuatoriano Segura. ¡Dos campeones![16]

ENRIQUE. — ¿Un campeón ecuatoriano?

JUANITA. — Sí, Enrique. Pancho Segura, el ecuatoriano, es uno de los mejores tenistas[17] del mundo.

ENRIQUE. — Oh, sí, ahora me acuerdo. Lo leí en algún periódico. Segura ha jugado en los campeonatos mundiales.[18] ¿Es un profesional, verdad?

ROBERTO. — Como Pancho González. Y los dos, en los *dobles,* son casi invencibles.

ENRIQUE. — ¿Y dónde van a jugar?

ALICIA. — En las finales del Club Campestre. Tenemos que ir. Lo mejor de la Habana estará allí.[19]

ENRIQUE. — Entonces, ¿iremos nosotros?

ALICIA. — Naturalmente . . . No podemos perder las finales.

[13] **cosa de otro mundo** out of this world
[14] **no la pierden de vista** they don't let her out of their sight
[15] **rehusar** to refuse
[16] **el campeón** champion
[17] **tenista** tennis player
[18] **los campeonatos mundiales** world championships
[19] **Lo mejor de . . .** The best people of . . .

ENRIQUE. — Pero ese club es muy exclusivo. ¿ Cómo podremos nosotros . . .

ALICIA. — Eso lo tengo yo bien arreglado. Paco Fuentes nos envió invitaciones a todos. Las tengo en la cartera.

ROBERTO. — Alicia, tú eres una alhaja. ¿ Qué podríamos hacer sin ti ?

ALICIA. — ¡ Oh ! . . . Una muchacha como yo puede hacer muchas cosas en este mundo, ¿ sabes ?

PEDRO. — En este mundo y en el otro,[20] Alicia.

VOCABULARIO SUPLEMENTARIO

I. **el aficionado** amateur; fan
¡ juego ! (¡ listo !) serve, I play, ready, I am going to serve
la jugada play
jugar to play; **— al tenis (billar, golf)** to play tennis (billiards, golf)

II. **la alberca (piscina)** swimming pool
el nadador swimmer
la za(m)bullida dive
za(m)bullirse to dive

III. **el anzuelo** fishhook
el avío (aparejo) de pesca fishing tackle
el carretel reel
la cuerda (el hilo) de pesca fishing line
la red net
el remo oar
la vela sail

IV. **la anotación (escóar)** score
la bola (pelota) ball
la raqueta racket
el tanto point (score)

PREGUNTAS

A

1. ¿ Van los habaneros a las playas ? 2. ¿ Van a menudo muchos de ellos ? ¿ Por qué ? 3. ¿ Qué hacen Pedro y Roberto cuando van a Marianao ? 4. ¿ Qué hace Alicia en la playa ? 5. ¿ Va sola Alicia a Marianao ? 6. ¿ A dónde van don Enrique y su esposa ? 7. ¿ A dónde fueron Juanita y Alicia con Paco Fuentes ? 8. ¿ Jugaron en el Casino ? 9. ¿ Qué hicieron ? 10. ¿ Quiénes iban a jugar al tenis en las finales del Club Campestre ? 11. ¿ Quién invitó a nuestros turistas a las finales del Club ? 12. ¿ Es Alicia muy lista ?

[20] **en el otro** in the next

B

1. ¿ Qué deportes prefiere usted ? 2. ¿ Juega usted al tenis ? ¿ Al golf ? ¿ Al billar ? 3. ¿ Cuál es el deporte nacional de los Estados Unidos ? 4. ¿ Le gusta a usted nadar en el mar ? 5. ¿ Dónde y cuándo nada usted ? 6. ¿ Puede usted zabullirse bien ? 7. ¿ Es difícil nadar en el mar ? 8. ¿ Sabe usted remar ? 9. ¿ Quiénes son los mejores tenistas del mundo ? 10. ¿ Quién es el campeón mundial entre los tenistas aficionados ? 11. ¿ Quién entre los profesionales ? 12. ¿ Sabe usted jugar al billar ? 13. ¿ Es el billar muy popular en este país ? 14. ¿ En qué países se juega al tenis ?

EJERCICIOS

I. *En cada grupo de palabras, escoja usted la palabra o la expresión que no pertenezca:*

a. toser, ir a nadar, tener fiebre, el dolor de cabeza, guardar cama.
b. la enfermera, el consultorio, la sala de clase, el médico, la receta.
c. los zapatos, el sombrero, la camisa, la camiseta, la aduana.
d. el teatro, nadar, navegar, remar, zabullirse.
e. el anzuelo, la cuerda de pesca, la red, la raqueta, el carretel.

II. *Conversation.* Discuss a recent fishing trip or outing which you have taken.

EN LA PLAYA

1. **el faro** lighthouse
2. **las nubes** clouds
3. **el vapor** steamer
4. **el barco (bote) de vela** sailboat
5. **el muelle** dock
6. **la gaviota** seagull
7. **el puesto de refrescos (y frutas)** stand
8. **el parasol (toldo, toldillo)** parasol
9. **el puesto de observación (salvavidas)** lookout
10. **el salvavidas** lifeguard
11. **los bañistas** bathers
12. **el trampolín** springboard
13. **la balsa** float
14. **el bote (de remo)** rowboat
15. **el remo** oar
16. **haciendo castillos de arena** playing in the sand

PREGUNTAS

A

1. ¿ Cuántos bañistas hay en este cuadro ?
2. ¿ Qué hacen los bañistas ?
3. ¿ Están nadando todos los bañistas ?
4. ¿ Dónde está el faro ?
5. ¿ Hay alguna persona en el faro ?
6. ¿ Hay gente en el vapor ?
7. ¿ Se ven las personas que están en el vapor ?
8. ¿ Se está acercando al muelle el vapor, o se está alejando de él ?
9. ¿ Quién está en el trampolín ?
10. ¿ Hay alguna persona en la balsa ?
11. ¿ Qué hace el joven que está en el bote de remo ?
12. ¿ Cuántas niñas se ven en el cuadro ?
13. ¿ Qué están haciendo las niñas ?
14. ¿ Qué hace el hombre que está sentado en el muelle ?
15. ¿ Cuántos pájaros se ven en el cuadro ?
16. ¿ Qué clase de pájaros son ?
17. ¿ Dónde está el salvavidas ?

B

1. ¿ Ha estado usted en las playas de la Florida ?
2. ¿ En qué playas ha estado usted ?
3. ¿ Le gusta a usted ir a las playas ?
4. ¿ Qué hace usted en las playas ?
5. ¿ Sabe usted nadar ?
6. ¿ Puede usted nadar durante mucho tiempo ?
7. ¿ Le gusta a usted pescar ?
8. ¿ Qué hacen los salvavidas ?
9. ¿ Es peligroso nadar en el mar ?
10. ¿ Puede usted decir qué es un trampolín ?
11. ¿ Qué es un faro ?
12. ¿ Dónde se necesitan los faros ?
13. ¿ Qué es una gaviota ?
14. ¿ Dónde viven las gaviotas ?
15. ¿ Le gusta a usted tomar el sol ?
16. ¿ Qué hace usted para tomar el sol ?
17. ¿ Puede usted remar ?

EMBELLECIÉNDOSE[1]

33

LECCIÓN TREINTA Y TRES

I

En el salón de belleza

ALICIA. — Sí, Juanita, debemos ir cuanto antes. La fiesta será mañana, y esta noche el salón de belleza estará lleno. Vamos ahora mismo.

JUANITA. — Bueno, Alicia, entonces llamaré por teléfono para pedir una cita.

ALICIA. — ¡ Espléndido ! Usted es una alhaja.

***

LA RECEPCIONISTA. — Buenos días, señoritas. ¿ Tienen ustedes una cita ? ¿ Cuáles son sus nombres ?

JUANITA. — Mrs. Henry Brown y Miss Alice Jones.

LA RECEPCIONISTA. — ¡ Oh, sí ! Su cita es a las tres. Las peinadoras[2] las esperan. Pasen ustedes por aquí.

***

LA PEINADORA. — ¿ Qué desea usted, Mrs. Brown ? ¿ Un shampú, un teñido[3] antes del ondulado ?[4]

JUANITA. — Eso no. A mí me gusta el pelo (cabello) al natural. Me lo enjuaga[5] con jugo de limón, y luego me hace un ondulado (permanente).

***

LA PEINADORA. — Miss Jones, ¿ usted desea . . . ?

ALICIA. — Primero deseo que me enjuague bien el pelo.

[1] **embelleciéndose** "dolling up"
[2] **la peinadora** hairdresser
[3] **el teñido** color rinse
[4] **el ondulado** wave
[5] **enjuagar** to rinse

LA PEINADORA. — Para eso nos acaba de llegar de París un líquido maravilloso. Usted tiene el pelo muy bello y sedoso,[6] y con una aplicación le quedará mucho más.

ALICIA. — En ese caso enjuágueme con ese líquido, y después me hará un permanente.

LA PEINADORA. — ¿ Y no quiere que la manicura (manicurista) le arregle los dedos y las uñas ? [7]

ALICIA. — ¡ Ya lo creo !

LA PEINADORA. — ¿ Y no desea que yo le dé un maquillaje,[8] le depile las cejas [9] y le pinte bien las pestañas ?

ALICIA. — Sí, sí . . . Quiero estar bien para la fiesta del Casino, ¿ comprende ?

LA PEINADORA. — ¡ Ay, qué suerte la suya ! Ésa es una fiesta magnífica. ¿ Y qué traje llevará usted ?

ALICIA. — Un traje precioso. Es negro, con brocados de oro, descotado [10] y de cintura muy ceñida,[11] ¿ sabe usted ? Llevaré un aderezo [12] de diamantes y unos zarcillos [13] de estilo antiguo que compré ayer. ¡ Son un hallazgo ! [14] En la tienda me dijeron que le habían pertenecido a la Emperatriz Carlota.

LA PEINADORA. — ¡ Qué hallazgo ! Entonces la peinaré a la criolla.[15]

ALICIA. — ¿ A la criolla ? . . . ¿ Me sentará bien ese peinado [16] a mí ? . . . Yo soy rubia.

LA PEINADORA. — Precisamente. ¡ Será una sensación ! Vea usted, Miss Jones: le parto el pelo al centro, y le hago grandes rizos [17] a los lados, y un ricillo [18] sobre la sien [19] derecha. Después usted se pondrá una flor roja sobre la oreja izquierda, y en el labio superior un puntito negro, ¿ sabe ?

ALICIA. — ¿ Para qué ?

LA PEINADORA. — Para atraer las miradas e invitar los besos . . .

ALICIA. — ¡ Oh, ya comprendo ! . . . ¡ Qué simpática es usted !

[6] **sedoso** silky
[7] **la uña** nail
[8] **dar un maquillaje** to put on some make-up
[9] **depilar las cejas** to pluck one's eyebrows
[10] **descotado** low-cut
[11] **de cintura muy ceñida** with a close-fitting waist
[12] **el aderezo** set
[13] **el zarcillo** earring
[14] **el hallazgo** find
[15] **peinar a la criolla** to do one's hair in the Creole style
[16] **el peinado** coiffure
[17] **el rizo** curl
[18] **el ricillo** ringlet
[19] **la sien** temple

II

En la peluquería[20]

EL PELUQUERO. — Sí, señor. ¿ Qué va a ser, el pelo o la barba ?[21]

ROBERTO. — Las dos cosas. El pelo lo quiero cortado a la maquinilla.[22]

EL PELUQUERO. — ¿ Y no desea que le dé un shampú ?

ROBERTO. — Muy bien. Y me afeita (rasura) con mucho cuidado, ¿ eh ?

EL PELUQUERO. — Sí, señor, no se preocupe usted. Nuestro servicio es excelente.

***

EL PELUQUERO. — ¿ Qué desea el señor ?

PEDRO. — Primero me enjuaga el pelo con agua pura. Después me lo corta, pero no a maquinilla. A mí me gusta el pelo . . . ¿ cómo decírselo ?

EL PELUQUERO. — Un poquito largo y vuelto hacia dentro en la nuca,[23] ¿ eh ?

PEDRO. — Sí, eso . . . ¿ Cómo lo sabe usted ?

EL PELUQUERO. — Así es más romántico . . . ¿ Le pongo brillantina ?

PEDRO. — No, señor. Me peina en seco,[24] y me hace la raya[25] a la izquierda, ¿ eh ?

EL PELUQUERO. — Muy bien. ¿ Y no quiere que le dé un masaje facial ?

PEDRO. — Eso sí, y me afeita muy bien.[26]

EL PELUQUERO. — Sí, cómo no. Creo que usted quedará satisfecho.

VOCABULARIO SUPLEMENTARIO

I. **el cutis** skin; **el ondulado (la ondulacíon)** wave; **— permanente** permanent; **la polvera** powder box, compact; **los polvos** (face) powder; **ponerse —** to powder oneself; **rizar** to curl

II. **la barbería (peluquería)** barbershop; **el barbero (peluquero)** barber; **la brocha** shaving brush; **la crema** cream; **— de afeitar (pasta de)** shaving cream; **la navaja** razor; **— de seguridad (maquinilla)** safety razor; **la toalla** towel; **el turno** turn; **es mi — (su, nuestro,** etc.) it is my (your, his, etc.) turn

---

[20] **la peluquería** barber shop

[21] **¿ el pelo o la barba ?** haircut or shave?

[22] **a la maquinilla** with the clippers

[23] **la nuca** back of the neck

[24] **peinar en seco** to comb one's hair dry

[25] **la raya** part

[26] **afeitar muy bien** to shave closely

PREGUNTAS

A

1. ¿Quién hizo la cita para ir al salón de belleza? 2. ¿Cuándo fueron Juanita y Alicia al salón de belleza? 3. ¿Quién las recibió allí? 4. ¿Cómo le gusta el pelo a Juanita? 5. ¿Dónde esperaban las peinadoras a Juanita y Alicia? 6. ¿Qué le preguntó la peinadora a Juanita? 7. ¿Quién le arregló los dedos y las uñas a Alicia? 8. ¿Cómo se hizo peinar Alicia? 9. ¿Dónde compró Alicia los zarcillos para la fiesta? 10. ¿Qué traje va a llevar Alicia a la fiesta del Casino? 11. Según la peinadora ¿por qué será Alicia una sensación en la fiesta? 12. ¿Cómo se hizo cortar el pelo Roberto? 13. ¿Cómo se lo hizo cortar Pedro? 14. ¿Se inclina también Pedro a lo romántico?

B

1. ¿Va usted a los salones de belleza? 2. ¿Quiénes van a estos salones? 3. ¿Quiénes se hacen rizar el pelo? 4. ¿Les gusta a las mujeres hacerse rizar los cabellos? 5. ¿Cuándo va usted a un salón de belleza? 6. ¿Van las mujeres a las peluquerías (barberías)? 7. ¿Va usted todas las semanas a un salón de belleza? 8. ¿Dónde se hacen cortar el pelo los hombres? 9. ¿Con qué se afeita (rasura) usted? 10. ¿Usa usted navaja o maquinilla? 11. ¿Qué es una Gillete? 12. ¿Prefiere usted la maquinilla eléctrica para afeitarse? 13. ¿Dónde trabajan los peluqueros (barberos)? 14. ¿Usa usted alguna crema para afeitarse?

EJERCICIO

Conversation. Make questions based on the following expressions, and ask members of the class to answer them: un accidente de tráfico; coger un resfriado; las diversiones en la playa.

VIÑETAS DE LA CIUDAD

I. *En el banco:* el pagador; el cobrador; hacer efectivo (cobrar, cambiar) un cheque; la máquina de escribir; la máquina de calcular (el contómetro); la casilla.

II. *En la botica (farmacia):* los mostradores; el bar; los banquillos; el sorbete; las cajas de dulces (bombones) (de cigarros); las revistas; el atomizador; los perfumes; el boticario (farmaceuta); preparando una receta.

III. *En la peluquería (barbería):* la manicura; los clientes (parroquianos); los peluqueros (barberos); enjabonar; cortar (recortar) el pelo; el limpiabotas; el betún (la grasa); el cepillo; el lavabo; las llaves.

IV. *En el salón de belleza:* las peinadoras; hacerse un ondulado permanente; leer; enjuagar el pelo; el cenicero; el secador eléctrico.

PREGUNTAS

I. 1. ¿ A qué ha venido al banco el cobrador ?
2. ¿ Dónde está cobrando (haciendo efectivo) el cheque ?
3. ¿ Quién se lo ha cambiado ?
4. ¿ Dónde están los pagadores del banco ?
5. ¿ Cuándo va usted al banco ?
6. ¿ Tiene usted una cuenta en el banco ?
7. ¿ Lleva usted dinero en el bolsillo ?
8. ¿ Es usted pagador de banco ?
9. ¿ Es bueno tener dinero en el banco ? ¿ Por qué ?

II. 1. ¿ Quiénes están en esta botica (farmacia) ?
2. ¿ Qué hace la niña que está sentada al bar ?
3. ¿ Qué hace el caballero ?
4. ¿ Qué está haciendo el boticario ?
5. ¿ Cuándo va usted a las boticas ?
6. ¿ Compra usted revistas y periódicos en las boticas ?
7. ¿ A dónde va usted cuando quiere que le preparen una receta ?
8. ¿ Le gustan a usted los dulces (bombones) ?
9. ¿ Qué dulces prefiere usted ?

III. 1. ¿ Cuántos peluqueros y cuántos parroquianos están en esta peluquería ?
2. ¿ Qué hace el limpiabotas ?
3. ¿ Qué hace la manicura ?
4. ¿ Son zurdos estos barberos ?
5. ¿ Cuál de los dos es zurdo ?
6. ¿ Por qué le enjabona la cara el peluquero al parroquiano ?
7. ¿ Se afeita (rasura) usted, o va a las peluquerías cuando desea que lo afeiten (rasuren) ?
8. ¿ Dónde se hace usted limpiar y lustrar los zapatos ?
9. ¿ Hay buenas barberías en esta ciudad ?

IV. 1. ¿ Quiénes están en este salón de belleza ?
2. ¿ Cuántas peinadoras hay ?
3. ¿ Qué hacen tres de las parroquianas ?
4. ¿ Qué está haciendo la peinadora ?
5. ¿ Va usted a menudo a los salones de belleza ?
6. ¿ Quiénes van por lo común a los salones de belleza ?
7. ¿ Le gustan a usted las peinadoras ?

EN LA FIESTA

34

LECCIÓN TREINTA Y CUATRO

ENRIQUE. — Muy bien, Alicia, ¿ pero por qué la fiesta ?

ALICIA. — No sé, don Enrique. Paco Fuentes me dijo que hoy es el día del santo [1] de la hija del presidente.

ENRIQUE. — ¿ De la República ?

ALICIA. — No, del Casino. Es algo muy complicado, pero estamos listos y vamos a divertirnos. Es lo que importa.

ENRIQUE. — Vamos a ver. Hoy es día de Santa Cecilia. Ajá . . . Es muy sencillo: la hija del presidente del Casino se llama Cecilia, y su padre va a agasajarla [2] con un baile.

ALICIA. — Sí, eso es. Paco Fuentes me lo explicó, pero yo lo había olvidado. Me dijo también que la niña y su novio Pepín van a cambiar argollas [3] esta noche. ¿ Qué será eso ?

ENRIQUE. — Yo se lo diré: los padres de los novios van a anunciar esta noche su compromiso de matrimonio,[4] y al hacerlo, éstos cambiarán argollas de oro: Pepín le dará a Cecilia una muy linda, con el nombre de él grabado [5] dentro; y Cecilia le dará otra a Pepín, con el nombre de ella.

JUANITA. — ¡ Qué interesante ! De modo que [6] si Alicia y Pedro anunciaran su compromiso, ¿ cambiarían argollas ?

ENRIQUE. — Sí, cómo no, si viviesen en la América española. Es una bella costumbre, ¿ no ?

ALICIA. — Sí y no . . . Pero yo tendría mi anillo de compromiso,[7] con un diamante muy lindo, ¿ verdad, Pedro ?

PEDRO. — ¡ Por supuesto, Alicia !

ALICIA. — ¿ Y tendría yo que darle a Pedro un anillo de diamante ?

[1] **el día del santo** Saint's day, birthday

[2] **agasajar** to entertain for

[3] **cambiar argollas** to exchange rings

[4] **el compromiso de matrimonio** betrothal

[5] **grabar** to engrave

[6] **De modo que** And so

[7] **el anillo de compromiso** engagement ring

ENRIQUE. — No, una argolla muy sencilla.

ALICIA. — ¡ Oh, entonces la cosa no sería tan alarmante !

* * *

ALICIA. — ¡ Qué salón tan hermoso ! Palmas, flores, luces . . . Hay de todo. La orquesta está lista, y comienzan a llegar los invitados. ¡ Qué emocionante ! ¡ Oh, oh ! . . . Allá viene Paco Fuentes con sus padres y con una niña muy guapa. ¿ Quién será ? ¡ Estoy loca por[8] saberlo !

ENRIQUE. — De seguro es una parienta de Paco. Una prima, quizás. ¿ No ven que se parecen mucho ? Además, ustedes saben que en Hispano América las muchachas van a los bailes sólo con sus parientes.

ALICIA. — Paco se nos acerca . . . *¡ Hello,* Paco !

PACO. — Buenas noches, Alicia. Buenas noches, Juanita, caballeros. Tanto gusto. ¡ Cuánto me alegro de que hayan venido temprano ! Con su permiso. Volveré en seguida con mis padres.

ALICIA. — ¡ Un momento, Paco ! ¿ Quién es la niña ?

PACO. — Mi prima Cecilia.

ALICIA. — ¡ Cecilia ! . . . ¿ Se llama lo mismo que la hija del presidente ?

PACO. — Sí, querida. Son tocayas,[9] y muy buenas amigas. Ha venido a la fiesta con nosotros porque mis tíos están en España.

ALICIA. — ¡ Lo comprendo ! Pero ¡ qué alegre viene, y qué guapa es !

PEDRO. — ¿ Guapa ? ¡ Guapísima, digo yo ! . . . Paco, ¿ me presentará usted a su prima ?

PACO. — Sí, sí, con el mayor gusto.

* * *

PEDRO. — *¡ Oo-lalá,* qué fiesta, Roberto ! Mujeres, champaña, flores, música . . .

ROBERTO. — ¡ Maravilloso todo ! Yo nunca creí que pudiera divertirme tanto. Figúrate, Pedro, que yo bailé habaneras.[10]

JUANITA. — ¿ Habaneras, Roberto ? . . . ¿ Cuándo aprendió usted a bailarlas ?

ROBERTO. — Verá usted, Juanita: después de cambiar argollas, Cecilia y Pepín bailaron un valse (vals). En seguida tocaron una habanera, y yo la bailé con Cecilia.

[8] **estar loco por** to be very anxious

[9] **ser tocayos** to have the same name

[10] **la habanera** *Cuban dance*

JUANITA. — ¿ Con la hija del presidente ? ¿ Y quién se la presentó ?

ROBERTO. — Su novio Pepín, que es un chico muy simpático.

JUANITA. — ¿ Y quién le enseñó a bailar la habanera ?

ROBERTO. — Cecilia. ¡ Qué chica tan encantadora ! Y como habíamos tomado dos copas de champaña y la habanera es tan fácil . . . Bueno, me la enseñó, y bailamos dos seguidas.[11] Y tú, Pedro, ¿ con quién bailaste ? Te vi con Cecilia Fuentes. ¿ No bailaste con la otra ?

PEDRO. — No, Roberto. Bailé con la Fuentes. ¡ Qué chica más guapa y más romántica !

ALICIA. — ¡ Basta, Pedro, basta, Roberto !

JUANITA. — ¿ Qué te pasa, Alicia ?

ALICIA. — Nada . . . Es que ya les he oído a estos dos tontos más de lo que puedo sufrir. Pedro, esta noche te has portado [12] como un tonto.

PEDRO. — ¿ Y tú, Alicia ? . . . Bailando rumbas con Paco Fuentes estabas en el cielo.

ALICIA. — ¡ Eso es diferente ! Ya te lo he dicho: te has portado como un tonto, y no puedo perdonarte.

PREGUNTAS

A

1. ¿ Cómo agasajó a su hija el presidente del Casino ? 2. ¿ En qué día tuvo lugar la fiesta del Casino ? 3. ¿ Cómo se llama el novio de Cecilia ? 4. ¿ Por qué no fué Cecilia Fuentes a la fiesta con sus padres ? 5. ¿ Con quiénes van las muchachas a los bailes en Hispano América ? 6. ¿ Con quién fué al baile la prima de Paco Fuentes ? 7. ¿ Qué bailó Roberto Brown en la fiesta ? 8. ¿ Quién le enseñó a bailar la habanera ? 9. ¿ Se divirtió Pedro en la fiesta ? 10. ¿ Con quién bailó Pedro la rumba ? 11. ¿ Bailó Alicia en la fiesta ? 12. ¿ Dónde estaba Alicia bailando con Paco Fuentes ?

B

1. ¿ Cuál es el día de su santo de usted ? 2. ¿ Ha bailado usted habaneras ? 3. ¿ Cuándo piensa usted anunciar su compromiso de matrimonio ? 4. ¿ Espera usted cambiar argollas con su novio ? 5. ¿ Con quién va usted a los bailes ? 6. ¿ Ha bailado usted la rumba ? 7. ¿ Es popular la rumba en este país ?

[11] **seguidas** in succession [12] **portarse** to act

EJERCICIOS

I. *Combínense las expresiones de A y B para formar oraciones completas:*

A. Cuando una persona tose y tiene calentura; antes de ir al consultorio del médico; los cubanos van a las playas; en el salón de belleza; cuando los novios anuncian su compromiso de matrimonio.

B. Sería mejor pedir una cita; la señora Brown deseaba un ondulado permanente; a menudo cambian argollas; debiera guardar cama; para nadar, navegar y pescar.

II. *Conversation.* Discuss the activities which took place at a party (tertulia) which you have attended recently.

UN INCENDIO

1. **el incendio** fire
2. **el humo, las llamas** smoke, flames
3. **el avisador** fire alarm
4. **avisando a los bomberos** sending in the fire alarm
5. **la estación de bomberos** fire station
6. **el camión de bomberos** fire truck
7. **los bomberos** firemen
8. **el oficial** fire chief
9. **la bomba** pumper (pump)
10. **el apagador portátil** portable fire extinguisher
11. **la manga (manguera)** hose
12. **el toma de agua** hydrant
13. **el hacha** axe
14. **el casco** helmet
15. **la escala (escalera)** ladder
16. **el chorro de agua** jet of water
17. **salvando (rescatando) a la niña** rescuing the girl
18. **los curiosos (espectadores)** bystanders
19. **el gendarme (policía, guardia)** policeman

PREGUNTAS

A

1. ¿ Dónde ocurre este incendio ?
2. ¿ Qué se está quemando ?
3. ¿ Quién les avisó a los bomberos ?
4. ¿ Dónde estaban los bomberos ?
5. ¿ Qué hicieron los bomberos al recibir el aviso ?
6. ¿ Cuántos bomberos acudieron al lugar del incendio ?
7. ¿ Qué hicieron los bomberos para apagar el incendio ?
8. ¿ De qué instrumentos se sirven los bomberos para apagar los incendios ?
9. ¿ Había alguna persona dentro de la casa incendiada ?
10. ¿ Quién salvó (rescató) a la niña ?
11. ¿ Qué hizo este bombero para salvarla ?
12. ¿ Cuántos curiosos vinieron a ver lo que pasaba ?
13. ¿ Vinieron sólo los bomberos y los curiosos al lugar del incendio ?
14. ¿ Ocurrió este incendio de día o de noche ?
15. ¿ Cómo puede usted saberlo ?

B

1. ¿ Ha visto usted un incendio ?
2. ¿ Hay muchos incendios en esta ciudad ?
3. ¿ En qué estación del año hay más incendios ?
4. ¿ Por qué hay tantos incendios en nuestras ciudades ?
5. ¿ Qué es un bombero ?
6. ¿ Por qué se llaman bomberos los hombres encargados de apagar incendios ?
7. ¿ Son profesionales todos los bomberos ?
8. ¿ Hay bomberos voluntarios en los pueblos ?
9. ¿ En qué llegan los bomberos al lugar de un incendio ?
10. ¿ Con qué elemento se apagan los incendios ?
11. ¿ Cuándo vió usted un incendio ?
12. ¿ Dónde lo vió ?
13. ¿ Van muchos curiosos a ver los incendios ?
14. ¿ Por qué van todos los que pueden ?
15. ¿ Qué es lo primero que debe usted hacer en caso de incendio ?
16. ¿ Cómo puede usted avisar a los bomberos ?
17. ¿ Hay avisadores en todas las calles ?
18. ¿ Por qué son tan peligrosos los incendios ?
19. ¿ Cómo se evitan los incendios ?

EN AVIÓN

35

LECCIÓN TREINTA Y CINCO

ENRIQUE. — Sí, cuanto antes. El avión sale a las nueve, y son las siete y media. ¿Tienen listas las maletas? Alicia, yo quiero ver la suya.

ALICIA. — Aquí está, don Enrique.

ENRIQUE. — ¡Ajá!... Está muy pesada y tendrá que pagar exceso. ¿Qué lleva usted en ella?

ALICIA. — ¿Yo? . . . Nada. Mi ropa y otros artículos de uso personal. Eso es todo.

ENRIQUE. — Antes no pesaba tanto.

ALICIA. — Bueno, también llevo algo que me regaló [1] Paco Fuentes.

ENRIQUE. — ¿Qué? Vamos a ver.

ALICIA. — Son unas botellitas . . .

ENRIQUE. — ¿De perfume?

ALICIA. — No precisamente . . . De Bacardí.

ENRIQUE. — ¡Válgame Dios! ¿Y para qué las lleva? En México podrá usted comprar Bacardí cuando quiera.

ALICIA. — Pero, don Enrique . . . Yo las llevo como recuerdo de Paco. Es un recuerdo muy romántico, ¿no?

ENRIQUE. — ¡De veras! . . . ¿Conque también el ron? [2]

ALICIA. — No lo será, don Enrique, pero . . .

ENRIQUE. — Nada de eso. Usted no llevará esas botellas, porque está prohibido, ¿entiende?

ALICIA. — ¡Ah, don Enrique, no sea usted tan cruel!

***

JUANITA. — Aquí estamos. ¡Qué hermoso es el aeropuerto! ¿Y los aviones? . . . ¡Oh, sí, allá están! ¿Crees tú que hay algún peligro?

[1] **regalar** to give, make a gift

[2] **¿Conque también el ron?** So rum is also (romantic)?

ENRIQUE. — Ninguno, Juanita. Los pilotos son muy hábiles.[3]

JUANITA. — ¿ Y crees tú que voy a marearme ? Yo nunca he volado, tú sabes.

ENRIQUE. — Creo que no, pero conviene que masques unos chicles.[4]

JUANITA. — ¡ Chicles ! . . . ¿ Y para qué ? Tú sabes que a mí no me gusta mascar eso. Ésa es una costumbre muy fea.

ENRIQUE. — No tanto, Juanita. Si los mascas no estarás sorda [5] cuando lleguemos a México.

JUANITA. — Entonces te acepto el consejo.

ENRIQUE. — Juanita: cuando me aceptas un consejo ¡ eres un encanto !

***

LA CAMARERA.[6] — Señoras y señores: sírvanse ponerse los cinturones de seguridad.[7] Los hallarán a un lado de los asientos.

ALICIA. — ¿ A qué horas llegaremos a México ?

LA CAMARERA. — Antes de ponerse el sol. Será un bello espectáculo.

***

EL PILOTO. — ¡ Interruptor ! [8]

EL MECÁNICO. — Interruptor.

EL PILOTO. — ¡ Gas !

EL MECÁNICO. — Gas.

EL PILOTO. — ¡ Contacto !

EL MECÁNICO. — Contacto. ¡ Listos !

ALICIA. — ¡ Oh, qué emocionante ! El avión está arrancando.[9] ¿ Por qué no despega ? [10] ¿ Por qué está virando ? [11]

ENRIQUE. — Porque quiere coger vuelo [12] y despegar contra el viento. De otro modo sería difícil y aun peligroso.

ALICIA. — ¡ Ya despegamos y vamos tomando altura ! [13] ¡ Qué maravilla !

JUANITA. — ¡ Ay, sí ! Estamos sobre el mar, y la Habana quedó atrás.[14] ¡ Adiós !

LA CAMARERA. — Frente a los asientos hallarán chicles, si los desean. Tenemos también frutas y emparedados (sandwiches).

[3] **hábil** skilful
[4] **mascar chicles** to chew gum
[5] **sordo** deaf
[6] **la camarera** stewardess
[7] **el cinturón de seguridad** safety belt
[8] **el interruptor** switch, spark
[9] **arrancar** to start (out)
[10] **despegar** to take off
[11] **virar** to turn
[12] **coger vuelo** to gain momentum
[13] **tomar altura** to gain altitude
[14] **quedar atrás** to be left behind

***

ALICIA.—Roberto, Pedro, vengan acá. Miren: allá se ven ya los famosos volcanes, el Popocatépetl y el Ixtaccihuatl.

ROBERTO.—¿ El qué ?

PEDRO.—El Ixtaccihuatl, o la *Mujer Blanca.* Así decían los aztecas, porque la cima[15] del volcán está cubierta de nieve, y parece una mujer echada, dormida sobre las montañas.

ALICIA.—¡ De veras ! Parece una mujer. Y el Popo es un cono perfecto. ¡ Qué bellos ! Parecen irreales,[16] ¿ verdad ?

PEDRO.—Es verdad. El sol poniente[17] les da ahora tintes de rosa,[18] ligeramente violados.[19] Voy a sacar una película. Si logro coger esos colores, tendremos una magnífica.

***

JUANITA.—¡ Al fin ! El vuelo[20] fué emocionante. Pero te confieso, Enrique, que a veces me sentí muy nerviosa.

ENRIQUE.—¿ Y los oídos qué tal ?

JUANITA.—No me duelen, pero estoy un poco sorda.

ENRIQUE.—¿ No te lo dije ? Y sin los chicles lo estarías mucho más.

JUANITA.—¿ De veras ? Gracias, Enrique, por tu consejo. ¡ Aún puedo oírte ! ¿ Qué sería de mí sin tus consejos ?

ENRIQUE.—No sé . . . Estarías sorda del todo,[21] y quizás serías muy feliz.

VOCABULARIO SUPLEMENTARIO

el aeroplano airplane
el aterrizaje landing; — **forzoso** forced landing
aterrizar to land
el aviador aviator
la cabina cabin (cockpit)
el campo de aviación flying field
el paracaídas parachute
el despegue take-off
taxear to taxi

[15] **la cima** top
[16] **irreal** unreal
[17] **poniente** setting
[18] **el tinte de rosa** pink color
[19] **violado** violet
[20] **el vuelo** flight
[21] **del todo** completely

PREGUNTAS

A

1. ¿A qué horas salió (partió) el avión? 2. ¿Qué hizo el avión antes de despegar? 3. ¿Por qué tuvo que virar un poco? 4. ¿Puede despegar un avión contra el viento? 5. ¿Es peligroso despegar con el viento? 6. ¿Para qué mascan chicles los pasajeros de un avión? 7. ¿Mascó chicles Juanita en el avión? 8. ¿A qué horas llegaron nuestros turistas a la capital mexicana? 9. ¿Cómo supo Alicia que se acercaban a la capital? 10. ¿Qué quiere decir "Ixtaccihuatl" en el idioma azteca? 11. ¿Por qué se llama así esa montaña? 12. ¿Qué forma tiene el Popo?

B

1. ¿Ha viajado usted en avión? 2. ¿Es usted aviador? ¿Aviadora (aviatriz)? 3. ¿Hay ahora muchos aviadores? 4. ¿Es fácil volar en aeroplano? 5. ¿Es usted piloto de aviación (aire)? 6. ¿Hay aeropuerto en la ciudad donde vive usted? 7. ¿Hay campo de aviación? 8. Cerca de la ciudad de México hay un volcán que parece una mujer blanca echada. ¿Cómo se llama en el idioma azteca? 9. ¿Ha visto usted el Popocatépetl? 10. ¿Dónde está este volcán y qué forma tiene? 11. ¿Le gusta a usted mascar chicles? 12. ¿Quisiera usted volar?

EJERCICIO

Conversation. Make questions based on the following expressions, and ask members of the class to answer them: pagar exceso; mascar chicles; ponerse el cinturón de seguridad; despegar contra el viento; el aterrizaje forzoso.

EN BUSCA DE ALOJAMIENTO[1]

36

LECCIÓN TREINTA Y SEIS

ENRIQUE. — En este hotel pagamos setenta pesos al día. ¡ Setenta pesos !

ROBERTO. — A mí me parece un escándalo. En la Habana gastamos mucho, y aquí nos arruinaremos. Además, en este hotel hasta las camareras hablan inglés.

JUANITA. — Es cierto. ¿ Por qué no vamos a una casa (pensión) [2] de familia donde tengamos la oportunidad de hablar español ?

ENRIQUE. — Es una idea excelente. (*Tomando un periódico y leyendo los avisos* [*anuncios*] *clasificados*).[3] Oigan ustedes: "Casa moderna; seis cuartos y garage; calefacción central.[4] 300 pesos mensuales." [5]

JUANITA. — Eso no. Después de todo, nosotros somos turistas, no tenemos muebles, y queremos practicar el español.

ENRIQUE. — Aquí hay otro aviso: "Pisito amueblado,[6] cuartos amplios y limpios; cocina; precios moderados. Calle de la Corregidora, 464."

JUANITA. — Vamos a verlo. Creo que nos gustará.

***

ENRIQUE. — ¿ Dónde estará esa calle ?

ROBERTO. — ¿ Quién sabe ? . . . Quizás este policía. Voy a preguntarle. (*Hablándole al que ve en la esquina*). Dispense usted: ¿ no podría usted decirnos dónde está el número 464 de la Calle de la Corregidora ?

1 **En busca de alojamiento** In search of lodging
2 **la casa (pensión) de familia** boarding house
3 **avisos (anuncios) clasificados** classified "ads"
4 **la calefacción central** central heating
5 **mensuales** per month
6 **el pisito (apartamento) amueblado** furnished flat, apartment

EL POLICÍA. — Pues, a la verdad, señor . . . Me parece que la calle está ahí no más, a la vueltecita[7] . . . Sí, claro: siga por aquí, y vuelva a la izquierda, ¿ sabe ? . . . Ahí encontrarán esa calle y ese número, a la derecha . . .

ROBERTO. — Muchas gracias.

EL POLICÍA. — De nada, señor.

***

ENRIQUE. — Buenos días, mi señora. ¿ Es aquí donde alquilan (rentan) un apartamento ?

LA SEÑORA. — Sí, cómo no . . . Está amueblado y es muy cómodo; la sala es amplia, con ventanas que dan a la calle; tiene una alcoba con camas gemelas,[8] un gabinete[9] con cama sencilla, y en la sala hay una cama doble. La cocinita es una alhaja. ¿ Desean ustedes verlo ?

JUANITA. — Sí, señora, si usted tiene la bondad de mostrárnoslo.

LA SEÑORA. — Con mucho gusto. Pasen ustedes, por aquí.

***

JUANITA. — La sala es muy cómoda. ¿ Y ese balcón a dónde da ?

LA SEÑORA. — Al patio, que es muy alegre, como lo verán. Pero ahora quiero mostrarles (enseñarles) la alcoba (recámara), el gabinete y la cocinita, que es tan linda.

JUANITA. — ¡ Ay, de veras ! . . . ¡ Qué bonita ! Y tiene refrigerador y estufa[10] eléctrica. ¿ Y las camas ?

LA SEÑORA. — Véanlas ustedes. Son buenas y limpias. La de la sala es una cama Murphy.

ALICIA. — Muy moderno todo. ¿ Y no tiene radio y televisión ?

LA SEÑORA. — ¡ Ay !, televisión no, pero radio sí tenemos, no en el pisito, sino en nuestra propia sala. Allá podrán ir cuando gusten.

JUANITA. — Gracias. ¿ Y la renta (el alquiler) ?[11]

LA SEÑORA. — Nada más que doscientos pesos al mes, inclusive[12] el agua, la luz y el teléfono. El gasto del refrigerador y la estufa es extra.

JUANITA. — ¿ Y cuánto es eso ?

LA SEÑORA. — Eso depende del uso que ustedes hagan de ellos, ¿ comprende ?

[7] **ahí no más, a la vueltecita** right over there around the corner
[8] **camas gemelas** twin beds
[9] **el gabinete** small parlor, study
[10] **la estufa** stove
[11] **la renta (el alquiler)** rent
[12] **inclusive** including

ENRIQUE. — Muy bien, señora. Tomamos el pisito. Aquí podremos vivir mi esposa Juanita, y yo (*presentándolos*), doña Alicia Jones y su hermano Roberto, y don Pedro Firestone.

LA SEÑORA — Tanto gusto, tanto gusto.

ENRIQUE. — ¿ Y su nombre, señora ?

LA SEÑORA. — Dolores de Ordóñez, para servir a ustedes. Pero si quieren pueden llamarme tía Lolita.[13] Así me llaman todos.

ENRIQUE. — Muchas gracias. ¿ Y podemos mudarnos [14] esta tarde ?

LA SEÑORA. — Ahora mismo, si gustan.

ENRIQUE. — Entonces aquí tiene la renta.

LA SEÑORA. — No hay prisa, don Enrique. Me la pagará cuando se muden. ¿ Ustedes son norteamericanos ?

JUANITA. — Sí, señora. ¿ Y usted es la dueña [15] (propietaria) del pisito ?

LA SEÑORA. — La dueña, sí, y la portera [16] también. Así lo piden estos tiempos . . . Vean ustedes: ésta es la casa de mis padres, y ahora mi esposo y yo alquilamos cuartos . . .

JUANITA. — ¿ Y no los incomodaremos,[17] señora ?

LA SEÑORA. — No, no, al contrario: a nosotros nos gusta tener compañía. El año pasado vivieron aquí dos señoritas de California que estudiaban en nuestra Universidad. Eran un encanto: siempre tan alegres y llenas de vida. Comían con nosotros, y eran como miembros de la familia. Cuando volvieron a California nos quedamos muy tristes. Yo estoy segura de que ustedes estarán contentos aquí con nosotros. Y seremos buenos amigos, ¿ no ?

JUANITA. — Sin duda, tía Lolita. ¿ Hasta la vista ?

LA SEÑORA. — Bueno, hasta lueguito. Los espero muy pronto.

13 **Lolita** *dim. of* **Dolores**

14 **mudarse** to move (in)

15 **la dueña (el dueño), la propietaria (el proprietario)** owner, proprietor

16 **la portera (el portero)** janitor

17 **incomodar** to bother

VOCABULARIO SUPLEMENTARIO

la almohada pillow
el aparador (la cómoda) chest
la colcha (sobrecama) bedspread
el colchón mattress
el cobertor (la cobija) woolen blanket
el hornillo (la cocinilla, la estufa) stove
la manta blanket
la sábana sheet

PREGUNTAS

A

1. ¿ Por qué decidieron nuestros turistas buscar alojamiento en una pensión de familia ? 2. ¿ Dónde hallaron el aviso (anuncio) del pisito ? 3. ¿ Qué es un pisito ? 4. ¿ Quiénes fueron a ver el apartamento ? 5. ¿ Dónde estaba ? 6. ¿ Quién les mostró el apartamento ? 7. ¿ En qué consistía el pisito ? 8. ¿ Qué renta (alquiler) les pidió la dueña ? 9. ¿ Quiénes habían vivido en el pisito el verano anterior ? 10. ¿ Era amable doña Dolores de Ordóñez ? 11. ¿ Estaba bien amueblado el pisito ? 12. ¿ Cómo era la cocina ? 13. ¿ Había televisión en el pisito ? 14. ¿ Dónde tenía doña Dolores la radio ?

B

1. ¿ Vive usted en una pensión de familia ? 2. ¿ Dónde tiene usted su alojamiento ? 3. ¿ Dónde se aloja usted ? 4. ¿ Come usted en una pensión o en un hotel ? 5. ¿ Por qué es ventajoso vivir en un pisito ? 6. ¿ Qué hace usted para saber dónde hay apartamentos de alquiler ? 7. ¿ En qué sección del periódico lee usted los avisos ? 8. ¿ Qué es una cama Murphy ? 9. ¿ Qué son las camas gemelas ? ¿ Las sencillas ? ¿ Las dobles ? 10. ¿ Cocina usted ? 11. ¿ Dónde cocina ? 12. ¿ Es fácil cocinar en una estufa moderna ?

EJERCICIOS

I. *Explíquense por medio de oraciones completas:* un pisito; una pensión; un juego de cuartos; un anuncio; el campo de aviación; el piloto; el paracaídas.

II. *Conversation.* You are looking for lodging. Discuss the type which you prefer — size, furniture, location, price, etc.

AVISOS CLASIFICADOS

SE ALQUILA

CUARTO amueblado, cama sencilla, con comidas. Tel. 3192, de 2 a 4.

Apartamento amueblado, sala, baño, cocina moderna, calefacción central, cerca Universidad, Calle de los Arquitectos 49. Cuartos para familias o individuos. Precios módicos. Colombia 457.

TIENDAS

FARMACIA CENTRAL. Gran variedad. Cremas, polvos, perfumes, medicinas, papeles, artículos de fotografía. Se preparan recetas. Servicio esmerado. Madero 64.

ALMACEN DE VARIEDADES. Gran surtido de sarapes, abanicos, lozas, joyas y objetos de arte mexicano. Precios sin competencia. Reforma 744.

LA CUBANA. Ropas de todas clases para señoras y caballeros. Lindo surtido de trajes, camisas y medias americanas. San Juan de Letrán 54.

TALLERES

GRAN SASTRERIA MEXICANA. Trajes a la medida y trajes hechos. Estilos modernos. Reparaciones de todas clases. Aplanchado a la americana. Corregidora 86.

ZAPATERIA MODERNA. Zapatos hechos y a la medida. Remiendos, medias suelas, tacones. Servicio inmediato. Montevideo 22.

EJERCICIO

1. A friend wants you to help him find lodging. Discuss with him the advertisements written above and select the best.
2. Then plan a shopping expedition from the shops listed above.

PARA TURISTAS

37

LECCIÓN TREINTA Y SIETE

ENRIQUE.—Sí, Alicia, aquí en nuestro pisito podemos comer lo que queramos.

ALICIA.—Es cierto, don Enrique, pero . . . ¿ Quién puede venir a esta ciudad sin ir a Sanborn's ? Allí va todo el mundo.

ENRIQUE.—Y muy especialmente los turistas.

ALICIA.—No, señor, también van los mexicanos. Eso me lo dijo tía Lolita.

ENRIQUE.—¿ Tía Lolita ? . . . ¿ Ella en Sanborn's ?

ALICIA.—Sí, señor. Ella me contó que una vez alguien la había convidado a cenar en Sanborn's . . . "¡ Figúrese—me decía—que el señor Sanborn le hizo poner techo[1] a ese patio colonial ! ¿ Y las comidas ? . . . ¡ Uy, uy, uy ! . . . Son un revoltijo[2] de platos mexicanos mal hechos y de platos norteamericanos sin sabor. ¿ Y la música ? . . . ¡ Santo Dios ! . . . Figúrese que, después de tocar *Estrellita*, tocaron eso que llaman *jazz*, y una niña a medio vestir,[3] y muy rubia, cantó en inglés un *bu-bu-pa-dú* que yo no pude ni entender . . . ¡ Figúrese !"

ENRIQUE.—¿ Eso le contó doña Dolores ? . . . Es interesante.

ALICIA.—Sí, mucho, y al contármelo la pobre señora se hacía cruces,[4] miraba al cielo y suspiraba por "los buenos tiempos viejos" . . .

JUANITA.—Lo comprendo. Pero tía Lolita no le diría a usted que en Sanborn's se bebe leche pasterizada y se comen frutas y legumbres americanas . . . Sí, Enrique: vamos a Sanborn's. Yo estoy que me muero por[5] comer lechugas de California.

ALICIA.—Y yo también. Aquí se ven muchas cosas maravillosas: catedrales, museos, palacios, jardines . . . Y esa Universidad o Ciudad Universitaria, como dicen, que es estupenda . . . Pero, para mí, un buen vaso de leche fría . . . ¡ Eso es la vida !

[1] **el techo** roof, ceiling
[2] **el revoltijo** mess
[3] **a medio vestir** half-dressed
[4] **hacerse cruces** to cross oneself
[5] **estoy que me muero por** I'm dying to

JUANITA. — Y unas lechugas frescas de California, y unos melocotones [6] con crema . . .

ALICIA. — *¡ Yumm, yumm !* . . . ¡ Ay, don Enrique, vamos a Sanborn's !

***

JUANITA. — ¿ Qué dices ahora, Enrique ? ¿ Te pesa (el) haber ido a Sanborn's ?

ENRIQUE. — No, en verdad. La música es excelente.

JUANITA. — Y la comida también.

ALICIA. — ¡ Ay, sí ! A mí me gustó mucho ese . . . ¿ cómo se llama ? . . . ¡ Oh, ya ! : el *mole guajolote*,[7] con ensalada de requesón.[8] ¡ Qué rico ! Y a propósito: ¿ no vieron allá en un rincón [9] a un joven mexicano . . . ?

JUANITA. — ¿ El de los bigoticos ? [10]

ALICIA. — Sí, sí . . . Muy guapo, ¿ verdad ?

JUANITA. — Guapo y peligroso. Noté que te estaba picando el ojo.[11] Ten mucho cuidado. Además . . . ¿ Te has olvidado tan pronto de Paco Fuentes ?

ALICIA. — ¿ El cubanito ? . . . Pobre Paco . . . Pero este mexicano tiene ojos tan melancólicos y dulces . . . Unos ojos . . . ¿ cómo diría yo ? . . . ¡ Eso ! Son ojos que tocan [12] . . .

ENRIQUE. — Si son así . . . ¡ adiós Paco Fuentes !

ALICIA. — ¿ Cree usted, don Enrique ? . . .

***

ALICIA. — ¿ Quieres acompañarme esta tarde a Sanborn's ? Vamos a tomar el té.

JUANITA. — ¿ Otra vez ? . . . Esto se está volviendo un hábito, Alicia.

ALICIA. — Es tan elegante tomar el té de las cinco [13] . . . Además, en Sanborn's podemos comprar sarapes,[14] canastas,[15] lozas,[16] brazaletes [17] de plata . . . ¡ Lo que queramos ! Tú sabes que Sanborn's no es sólo un restaurante. Es una institución.

[6] **el melocotón** peach
[7] **el mole guajolote** turkey served with a piquant sauce
[8] **el requesón** cottage cheese
[9] **el rincón** corner
[10] **los bigoticos** tiny moustache
[11] **picar el ojo** to wink
[12] **ojos que tocan** eyes that affect you
[13] **el té de las cinco** five-o'clock tea
[14] **el sarape** Mexican shawl or blanket
[15] **la canasta** basket
[16] **la loza** pottery
[17] **el brazalete** bracelet

JUANITA. — Es verdad. Allí podremos comprar lo que queramos, y a precios más altos que en el Zócalo,[18] que no está muy lejos.

ALICIA. — Sí, pero en Sanborn's los precios son fijos, y allí es fácil escoger lo que uno quiera.

JUANITA. — Inclusive jóvenes de bigoticos "tan monos,"[19] y de ojos "que tocan," ¿ eh, Alicia ?

ALICIA. — ¡ Juanita ! . . . ¿ Quién piensa en eso ahora ? . . . Vamos, ¿ verdad ?

JUANITA. — Bueno, vamos, pero ésta será la última vez.

PREGUNTAS

A

1. ¿ Qué es Sanborn's ? 2. ¿ Dónde está esta famosa institución ? 3. ¿ Quiénes van a Sanborn's ? 4. ¿ Qué clase de platos se sirven en Sanborn's ? 5. ¿ Qué clase de música se toca allí ? 6. ¿ Por qué dice tía Lolita que las comidas y la música son un revoltijo ? 7. ¿ Por qué van tantos turistas a Sanborn's ? 8. ¿ Qué se vende en las tiendas de Sanborn's ? 9. ¿ Qué impresionó mucho a Alicia en Sanborn's ? 10. ¿ Le habló el mexicano a Miss Jones ? 11. ¿ Qué hizo ? 12. ¿ Cómo tenía los ojos ?

B

1. ¿ Ha comido usted platos mexicanos ? 2. ¿ Cuáles son los platos mexicanos más famosos en los Estados Unidos ? 3. ¿ Ha comido usted tortillas, tamales o enchiladas mexicanas ? 4. ¿ De qué son las tortillas mexicanas ? 5. ¿ Son muy condimentadas las enchiladas mexicanas ? 6. ¿ Ha comido usted mole guajolote ? 7. ¿ Qué es el mole guajolote ? 8. ¿ Le gustan a usted los platos condimentados ? 9. ¿ Es bueno comer platos muy condimentados ? 10. ¿ Cuáles prefiere usted ? 11. ¿ Qué es un sarape ? 12. ¿ Compran muchas canastas mexicanas los turistas ? 13. ¿ Usa usted brazaletes de plata ? 14. ¿ Son bellas las lozas mexicanas ? 15. ¿ Se hacen a mano o a máquina las lozas mexicanas ?

[18] **el Zócalo** *main square in Mexico City;* **el Zoco** bazar (bazaar)

[19] **tan monos** "so cute"

EJERCICIOS

I. *Escoja usted la palabra o la expresión que no pertenezca:*

a. los novios, el día del santo, cambiar argollas, el compromiso de matrimonio, agasajar
b. el piloto, mascar chicles, despegar, el maquinista, aterrizar
c. el templo, el hotel, el pisito, la pensión, el apartamento
d. la alcoba, la cocina, el comedor, la sala, el ascensor
e. la cama, la mesa, el gabinete, la silla, la estufa
f. la lechuga, el melocotón, los guisantes, la col, la remolacha

II. *Conversation.* Tell what Mexican foods you like or do not like, and why.

Sanborn's

MENÚ

Desayuno: SERVICIO DE 8.00 A 11.00, TODOS LOS DÍAS

FRUTAS	Fresas con crema	$ .75	Piña fresca	$ .40
	Jugo de jitomate	.40	Plátano con crema	.40
	Jugo de naranja	.40	Toronja (½)	.30
CEREALES	Arroz o trigo inflado	.50	Corn flakes	.50
	Avena o crema de trigo	.50	Grapenuts	.50

HUEVOS	Huevos fritos o revueltos, con jamón o tocino americano	1.50
	Huevos rancheros	1.50
	Tortilla de huevos	1.50
BEBIDAS	Café solo (negro)	.20
	Café con leche, o con crema	.40
	Chocolate a la mexicana	.50
	Leche, botella	.25
	Té, solo o con crema o limón	.25
PAN	Pan de trigo o de centeno	.20
	Pan tostado (tostadas)	.30
	Panecillos a la Sanborn	.30
	Tortillas mexicanas	.30
	Hot cakes, waffles o tostadas a la francesa, con jarabe o miel	1.00

Lunch Comercial: SERVICIO DE 12.30 A 15.00, TODOS LOS DÍAS.

FIAMBRES	Aceitunas, verdes o negras	.40
	Encurtidos "Dill"	.40
	Jamón, lengua o pollo frío	1.00
SOPAS	Consomé	.60
	Crema de espárragos	.60
	Crema de jitomate	.60
PESCADOS Y MARISCOS		
	Croquetas de bacalao	1.00
	Langosta a la Newburg	2.00
	Ostiones (ostras), la docena	2.00
	Sardinas en salsa de jitomate	1.25

Comida: SERVICIO DE 18.00 A 21.30, TODOS LOS DÍAS.

CARNES	Chuletas a la parrilla	2.00
	Enchiladas mexicanas	1.50
	Filete con papas a la francesa	2.00
	Mole guajolote	2.50
	Pollo asado o frito	2.00
	Tamales o tacos mexicanos	1.00
POSTRES	Flan de piña	.50
	Helados de vainilla o de chocolate	.75
	Pastel de manzana o de cereza	.75
QUESOS	Mexicanos o americanos	.60
	Quesos importados, de Gruyère, Roquefort, etc.	.75
VINOS	Vinos chilenos, españoles y franceses de todas clases.	

EN EL ZÓCALO

38

LECCIÓN TREINTA Y OCHO

DOÑA DOLORES. — Qué interesante, ¿ eh, Alicia ?

ALICIA. — Mucho, sí, tía Lolita. Parece un bazar oriental.

DOÑA DOLORES. — Más bonito, digo yo, quizá por ser mexicano. Pero vea usted: todo tan bien ordenado: las flores, las frutas, las ropas, las lozas, todo, todo . . . ¿ Y las gentes ? Todas se mueven . . .

ALICIA. — Muy despacio, a la mexicana [1] . . .

DOÑA DOLORES. — Sí, es verdad, pero con cierto orden y cierto ritmo . . .

UN VENDEDOR. — (*Cantando*). Clavelitos [2] . . . ¿ Quién quiere claveles ? . . .

DOÑA DOLORES. — A ver, ¿ a cómo (cuánto) el manojo ?

EL VENDEDOR. — A cuarenta centavos, mi señora.

DOÑA DOLORES. — Son muy caros. Le doy veinticinco, si quiere . . .

EL VENDEDOR. — Llévelos, pues, mi señora . . . Clavelitos . . .

(*Se oyen más gritos de vendedores*: *"Tortillas fresquitas,*[3] *a quince centavos, tortillas."* . . . *"Naranjas . . . ¿ Quién me compra naranjas ?"* . . . *"Lozas, de Guadalajara, de las mejores . . . Lozas."*)

ALICIA. — ¡ Ay, qué encanto ! Todo es aquí tan animado, y tiene tanto color. Las cosas, las gentes . . . Y los vendedores, todos cantando al ofrecer lo que venden . . . Pero . . . ¿ aquí los precios no son fijos, tía Lolita ?

DOÑA DOLORES. — No, Alicia. Aquí hay que regatear.[4]

ALICIA. — ¿ Y cómo sabe uno ? . . . Es una calamidad.

DOÑA DOLORES. — ¡ Ay, no diga ! [5] . . . El regateo [6] es a veces muy divertido, y en él se prueba la habilidad [7] del comprador. ¿ Quiere verlo ? Vamos a comprar unas tacitas que quiero.

[1] **a la mexicana** in the Mexican style or manner

[2] **el clavelito** *dim. of* **clavel** carnation

[3] **fresquitas** really fresh

[4] **regatear** to bargain, haggle

[5] **¡ no diga !** don't say that!

[6] **el regateo** bargaining, haggling

[7] **la habilidad** skill

ALICIA. — Bueno, también yo quiero comprar unas, y es bueno aprender a regatear.

***

DOÑA DOLORES. — Oiga, amigo, esas tacitas . . . ¿ Son de Guadalajara ?

EL VENDEDOR. — Sí, mi señora, de allá son, y de lo mejor.

DOÑA DOLORES. — ¿ A cómo las vende, a diez centavos ?

EL VENDEDOR. — ¡ Ay, señora, no ! Las grandes a peso cada una, y las chiquitas a cincuenta centavos. Mire qué bonitas.

DOÑA DOLORES. — No son feas, pero el precio es muy alto. Le doy un peso por cuatro tacitas.

EL VENDEDOR. — ¿ Un peso por cuatro ? . . . ¡ Santo Dios ! Yo las compro a cuarenta centavos cada una, y tengo que bregar [8] mucho para traerlas de Guadalajara, que es tan lejos. No, señora, déme dos pesos.

DOÑA DOLORES. — No, amigo, un peso por las cuatro.

EL VENDEDOR. — Bueno, señora, se las dejo por [9] uno cincuenta, y que la Virgen de Guadalupe la bendiga.[10]

DOÑA DOLORES. — Gracias. Ya le dije que un peso, y nada más.

EL VENDEDOR. — Pero, mi señora, ¿ no ve que así pierdo ? Déme siquiera un peso y medio . . . Un peso y veinte . . . ¿ Qué son veinte centavitos para una señora como usted ?

DOÑA DOLORES. — No, amigo, un peso, y si no, las compro en aquel otro puesto [11] . . .

EL VENDEDOR. — ¡ Ay, señora ! . . . ¿ Un peso y diez ? . . . ¿ No ? . . . Bueno, aquí las tiene . . . Salgo perdiendo, y se las doy por un peso, pero eso sí, antes de que vuelva mi mujer . . .

(*Doña Dolores y Alicia andan diez pasos más, y se acercan a otro puesto de lozas*).

DOÑA DOLORES. — ¿ Lo vió, Alicia ? El regateo es cosa muy fácil.

ALICIA. — No para mí. Para usted sí, porque es tan hábil.

DOÑA DOLORES. — Sí y no . . . Lo importante es tener paciencia cuando queremos comprar algo.

ALICIA. — (*A otro vendedor*). A ver, amigo, ¿ a cómo esas tacitas de Guadalajara ?

[8] **bregar** to toil, labor
[9] **se las dejo por** I'll let you have them for
[10] **bendecir** to bless
[11] **el puesto** booth

EL VENDEDOR. — A veinte centavos cada una. ¿ Quiere comprármelas, señorita ?

ALICIA. — ¿ A veinte centavos cada una ? . . . ¡ Oh, pero qué divertido es el regateo, tía Lolita ! En el otro puesto pagó veinticinco centavos por cada una, y después de tanto regateo. ¡ Y son exactamente lo mismo ! . . . ¡ Ja, ja ! . . . En el regateo "se prueba la habilidad del comprador," y "hay que tener paciencia cuando queremos comprar algo." ¿ Verdad, tía Lolita ?

DOÑA DOLORES. — Vamos, Alicia, déjese de burlas.[12] Eso le pasa a cualquiera. ¡ Ay ! . . . ¿ Qué le pasa a mi México ? . . . ¡ Cómo han cambiado las cosas ! . . . En mis tiempos a mí nadie me engañaba.

ALICIA. — ¿ De veras, tía Lolita ?

DOÑA DOLORES. — Bueno, yo decía . . .

PREGUNTAS

A

1. ¿ Qué es el Zócalo ? 2. ¿ Qué se vende en un zoco ? 3. ¿ Hay que regatear mucho en el Zócalo ? ¿ Por qué ? 4. ¿ Qué compró primero doña Dolores ? 5. ¿ Cómo ofrecen los vendedores sus artículos ? 6. ¿ Le gusta el Zócalo a Alicia ? ¿ Por qué ? 7. ¿ Son bonitas las lozas de Guadalajara ? 8. ¿ Regateó mucho tía Lolita al comprar las tazas que quería ? 9. ¿ Cuántas compró ? 10. ¿ Cuánto pagó por las tacitas ? 11. ¿ Hay que tener habilidad para comprar algo en los mercados hispanoamericanos ? 12. ¿ Son fijos los precios en esos mercados ? 13. ¿ Lo son en las tiendas de los Estados Unidos ? 14. ¿ Por qué se rió Alicia de doña Dolores ?

B

1. ¿ Regatea usted en las tiendas cuando compra algo ? ¿ Por qué no ? 2. ¿ Le gusta a usted regatear ? 3. ¿ Dónde y cuándo regatea usted ? 4. ¿ Ha comprado usted lozas mexicanas ? 5. ¿ Se venden las lozas de Guadalajara en los Estados Unidos ? 6. ¿ Las ha visto usted ? 7. ¿ Dónde compra usted flores ? 8. ¿ Va usted al mercado a comprar frutas ? 9. ¿ Las compra usted en una tienda ? 10. ¿ En qué clase de tienda las compra ? 11. ¿ Es bueno tener paciencia para comprar algo ? 12. ¿ Quiénes son aquí más hábiles, los vendedores o los compradores ?

[12] **déjese de burlas** stop joking

EJERCICIOS

I. *Verdad o mentira que:* 1. En las tiendas de los Estados Unidos se regatea mucho por lo común. 2. Nunca es divertido el regateo. 3. Si uno no regatea mucho, no paga más de lo que vale un artículo. 4. Se regatea solamente en la América Latina.

II. *Conversation.* A member of the class as a prospective purchaser of a used car and another student (the dealer) argue over the defects, fine qualities and price of the vehicle.

DE COMPRAS[1]

39

LECCIÓN TREINTA Y NUEVE

En una tienda de ropa

EL DEPENDIENTE. — A sus órdenes, señorita. ¿ En qué puedo servirle ?

ALICIA. — Quiero un traje de deporte: la falda,[2] amplia y no muy larga, y el suéter (jersey, elástico), muy fino.

EL DEPENDIENTE. — Y un poquito ceñido, ¿ eh ? . . . Tenemos los últimos modelos de París y de Nueva York. Creo que le sentarán a la maravilla. ¿ Y los señores qué desean ?

ENRIQUE. — Mi amigo y yo deseamos unas camisas.[3]

EL DEPENDIENTE. — Entonces ustedes tendrán que ir a la camisería, que está a la derecha, en ese otro departamento.

En la zapatería[4]

EL DEPENDIENTE. — Buenas tardes. ¿ Qué desean ustedes ?

JUANITA. — Yo deseo unos zapatos de calle, y mi marido quiere que le pongan tacones de goma (caucho)[5] a los que lleva puestos.[6]

ENRIQUE. — ¿ Podrían hacerlo mientras ella compra los zapatos ?

EL DEPENDIENTE. — Sí, cómo no. Tenga la bondad de quitárselos, y de esperar un poco, mientras yo atiendo a la señora. ¿ Desea zapatos de cabritilla[7] o de piel de Suecia ?[8] Tenemos un gran surtido.[9]

JUANITA. — De piel de Suecia.

EL DEPENDIENTE. — (*Después de tomarle las medidas*). Aquí tiene éstos. Son muy suaves y durables. ¿ Quiere usted probárselos (medírselos) ?[10]

1 **De compras** Shopping
2 **la falda** skirt
3 **la camisa** shirt
4 **la zapatería** shoe store
5 **los tacones de goma (caucho)** rubber heels
6 **los que lleva puestos** the ones he has on
7 **la cabritilla** kid
8 **la piel de Suecia** suède
9 **el surtido** stock
10 **probarse (medirse)** to try on

JUANITA. — (*Probándoselos y mirándose en el espejo*).[11] Éstos me gustan, pero me asientan[12] un poquito.

EL DEPENDIENTE. — Eso lo remediamos fácilmente, estirándolos[13] un poco. Ya verá que le quedarán a entera satisfacción.[14]

En la botica (farmacia, droguería)

EL DEPENDIENTE. — A ver, señores, ¿qué desean ustedes?

PEDRO. — ¿Tienen ustedes artículos americanos?

EL DEPENDIENTE. — Sí, señor, de todas clases. Nuestra botica es muy moderna.

PEDRO. — ¡Oh, qué bueno! Yo deseo un frasco[15] de pastillas de *Bisodol,* y un frasco de mentolato. Además, ¿pueden ustedes prepararme esta receta?

EL DEPENDIENTE. — (*Leyéndola*). Sí, señor, en seguida. ¿Y usted, señor?

ROBERTO. — Yo quiero unas hojas (cuchillas)[16] de Gillette, un frasco de crema Ingram, dos cepillos de dientes y un tubo de pasta *Gleam.*

EL DEPENDIENTE. — Muy bien, señores. Aquí lo tienen todo.

En la papelería[17]

EL DEPENDIENTE. — ¿Qué desea la señorita?

ALICIA. — Una caja de papel de escribir (de carta).

EL DEPENDIENTE. — Con mucho gusto. ¿Cómo le parece ésta?

ALICIA. — ¿No tiene otras de mejor calidad y más grandes? Tengo que escribir muchas cartas hoy mismo.

EL DEPENDIENTE. — ¡Oh! . . . Bien, señorita, vea usted: ésta es de papel de lino[18] puro, y tiene cincuenta sobres[19] y cien pliegos[20] de papel. Es muy elegante, ¿verdad?

ALICIA. — Sí lo es. ¿Y el precio?

EL DEPENDIENTE. — Veinte pesos nada más.

ALICIA. — Muy bien.

EL DEPENDIENTE. — ¿Desea otra cosa, señorita? Unas tarjetas...

ALICIA. — Sí, señor, quiero cincuenta sellos de correo.

EL DEPENDIENTE. — Lo siento, señorita. Los sellos (estampillas) los hallará usted sólo en el Correo.

[11] **el espejo** mirror
[12] **asentar** to hurt
[13] **estirar** to stretch
[14] **le quedarán a entera satisfacción** they will give you complete satisfaction
[15] **el frasco** jar
[16] **la hoja (cuchilla)** blade
[17] **la papelería** stationery store
[18] **el lino** linen
[19] **el sobre** envelope
[20] **el pliego** sheet

En la joyería[21]

EL DEPENDIENTE. — Buenas tardes, señor Firestone. ¿ Desea mostrarle el anillo a la señora? Aquí lo tiene usted. (*Se lo pone en la mano, después de hacerlo brillar contra la luz*). ¿ Verdad que es precioso ?

JUANITA. — ¡ Ay, sí, precioso ! ¿ El diamante es genuino ?

EL DEPENDIENTE. — Sí, cómo no. Es perfecto.

PEDRO. — ¿ Y el último precio ?

EL DEPENDIENTE. — Mil pesos, como le dije ayer. El anillo es de oro muy fino, y el brillante[22] pesa más de un quilate.[23] En los Estados Unidos usted pagaría por él a lo menos doscientos dólares.

JUANITA. — Es verdad.

PEDRO. — ¿ Y las argollas ?

EL DEPENDIENTE. — (*Poniéndoselas en la mano*). Aquí las tiene usted. Son muy lindas, y los nombres quedaron bien grabados, ¿ no ?

PEDRO. — (*Examinándolas*). Sí, muy bien. Vea, Juanita.

JUANITA. — (*Tomándolas en los dedos*). ¡ Ah ! . . . ¿ Y eso también ? . . . ¿ Van a cambiar argollas aquí en México ?

PEDRO. — Así lo quiere Alicia.

JUANITA. — ¿ Y cuándo ?

PEDRO. — Antes de volver a casa, y en la fiesta de tía Lolita, ¿ sabe ?

JUANITA. — ¡ Ay, qué románticos son ustedes !

PEDRO. — (*Al dependiente*). Está bien. Llevaré las argollas y el anillo. Voy a firmar mis cheques del Expreso Americano.

EL DEPENDIENTE. — Muy bien, señor Firestone.

VOCABULARIO SUPLEMENTARIO

los calcetines socks
la corbata necktie
los cordones para zapatos shoelaces
las ligas garters
las medias stockings
el pañuelo handkerchief

[21] **la joyería** jewelry store
[22] **el brillante** brilliant, diamond
[23] **el quilate** carat (karat)

PREGUNTAS

A

1. ¿Qué compró Alicia en la tienda de ropa? 2. ¿Qué compró en la papelería? 3. ¿Qué hizo don Enrique en la zapatería? 4. ¿Qué compró allí Juanita? 5. ¿Dónde hizo Pedro preparar una receta? 6. ¿Era moderna la botica? 7. ¿Qué compró allí Roberto? 8. ¿Qué compró Pedro en la joyería? 9. ¿Dónde van a cambiar argollas Alicia y Pedro? 10. ¿Cuándo van a cambiar argollas?

B

1. ¿Qué es una zapatería? ¿Una papelería? ¿Una joyería? 2. ¿Dónde compra usted camisas? 3. ¿Qué se vende en una camisería? 4. ¿Qué hace usted antes de comprar zapatos? 5. ¿Qué clase de zapatos lleva usted? 6. ¿Escribe usted muchas cartas? 7. ¿En qué clase de papel las escribe? 8. ¿Con qué las escribe usted? 9. ¿Es bueno medirse la ropa antes de comprarla? 10. ¿Usa usted ropas de seda, de lino o de *nilón?* 11. ¿Dónde compra usted sombreros?

EJERCICIO

Conversation. Ask a friend to go downtown with you, and tell what places you will visit (stores, bank, post office, etc.) and what you will do in each place.

LOS VESTIDOS

1. **el impermeable** raincoat
2. **el paraguas** umbrella
3. **las botas** boots
4. **los zapatos de goma** rubbers
5. **el traje de baño** bathing suit
6. **el traje de calle** every-day dress
7. **el sombrero de paja** straw hat
8. **el abrigo de pieles** fur coat
9. **la gorra** cap
10. **el traje de esquíes** skiing costume
11. **el traje de invierno** winter suit
12. **el elástico (jersey)** sweater
13. **el traje de etiqueta** formal dress
14. **el smoking** tuxedo
15. **los guantes** gloves

PREGUNTAS

A

I. 1. ¿ Qué vestidos llevan las personas de este grabado ?
2. ¿ Por qué lleva paraguas la niña ?
3. ¿ Qué llevan el caballero y su esposa para protegerse de la lluvia ?
4. ¿ Dónde están ?

II. 1. ¿ Quiénes aparecen en esta ilustración ?
2. ¿ Qué traje lleva la niña ?
3. ¿ Qué estación del año sugiere esta ilustración ?
4. ¿ Cómo lo sabe usted ?

III. 1. ¿ Qué hacen los niños que se ven en este cuadro ?
2. ¿ Qué trajes llevan ?
3. ¿ Dónde están: al aire o bajo techo ?
4. ¿ Hay nieve en las montañas ?
5. ¿ Por qué lleva la señora un abrigo de pieles ?

IV. 1. ¿ Qué hacen las personas de este grabado ?
2. ¿ Quiénes son ? ¿ A dónde van ?
3. ¿ Cómo lo sabe usted ?
4. ¿ Por qué llevan trajes de etiqueta (ceremonia) ?

B

1. ¿ Qué ropa se pone usted cuando llueve ?
2. ¿ En qué estación del año llueve mucho aquí ?
3. ¿ Qué hace usted para no mojarse cuando llueve ?
4. ¿ Qué se pone usted cuando va a nadar ?
5. ¿ Sabe usted nadar ?
6. ¿ Dónde nada usted ?
7. ¿ Le gusta a usted nadar en los lagos ? ¿ En los ríos ? ¿ En el mar ?
8. ¿ Cuándo hay nieve en las montañas ?
9. ¿ Le gusta a usted ir a las montañas cuando hay nieve ? ¿ Por qué ?
10. ¿ A qué va usted a las montañas ?
11. ¿ Cuándo se pone usted traje de etiqueta ?
12. ¿ Se pone usted traje de ceremonia cuando va a los bailes ?
13. ¿ Le gusta a usted llevar guantes ?
14. ¿ Se los pone usted cuando hace mucho frío ?
15. ¿ Los lleva usted siempre ?
16. ¿ Para qué se pone usted zapatos de goma ?
17. ¿ Qué estación del año prefiere usted ? ¿ Por qué ?

EN EL CINE Y EN EL TEATRO

40

LECCIÓN CUARENTA

ALICIA. — Sí, don Enrique: vaya usted con Juanita al teatro, y nosotros iremos al cine. Todos dicen que *Doña Bárbara* es una película muy emocionante.

ENRIQUE. — Lo será, sin duda. Y será muy bárbara[1] también: llanos,[2] selvas,[3] animales y gentes salvajes,[4] vida primitiva, sangre, violencia . . . Yo leí la novela de Gallegos . . . En cambio, *Canción de cuna*[5] es una comedia muy delicada y exquisita.

ALICIA. — Y muy sentimental, y muy vieja . . .

ENRIQUE. — También es vieja esa película . . .

ALICIA. — Pero nosotros no la hemos visto y queremos verla.

PEDRO. — Eso sí . . . Y dicen que la artista que hace el papel[6] de doña Bárbara es sensacional, *terrífica* . . .

ENRIQUE. — Entonces me rindo.[7] Vayan ustedes al cine. Juanita y yo iremos al teatro.

***

ROBERTO. — (*A la taquillera*).[8] ¿A qué horas empieza la función?

LA TAQUILLERA. — Dentro de diez minutos.

ROBERTO. — Entonces dénos tres boletos (billetes) de galería. ¿Cuánto valen, señorita?

LA TAQUILLERA. — Dos pesos cada uno. Es función de gala.[9] Además de *Doña Bárbara,* tendremos una comedia muy divertida y acontecimientos mundiales.[10]

1 **bárbaro** wild
2 **el llano** plain
3 **la selva** forest, jungle
4 **salvaje** savage, wild
5 **Canción de cuna** Cradle Song
6 **hacer el papel** to play the part
7 **rendirse** to surrender, yield
8 **la taquillera** ticket seller
9 **la función de gala** special performance
10 **los acontecimientos mundiales** newsreel

***

ENRIQUE. — (*A la taquillera*). ¿ Tiene asientos de luneta [11] todavía ?

LA TAQUILLERA. — Sí, señor, pero no en el centro. También quedan asientos en los palcos [12] de segunda fila, que son mejores.

ENRIQUE. — Muy bien, señorita. Hágame el favor de darme dos boletos. ¿ Hemos llegado muy temprano ?

LA TAQUILLERA. — No, señor. El telón [13] se levanta a las ocho en punto.

***

PEDRO — ¿ Qué dices, Alicia ? ¿ Cómo te pareció la película ?

ALICIA. — ¡ Estupenda ! . . . ¡ Ah, quién pudiera [14] ir a esos llanos de Venezuela, donde la vida es tan interesante !

PEDRO. — Pero demasiado primitiva también, ¿ verdad, Roberto ?

ROBERTO. — Sí, demasiado . . . A mí lo que más me interesó fué la técnica del cine mexicano. No sabía que había hecho tantos progresos.

ALICIA. — Muchos, sí. ¿ Quiénes dirigirían [15] esta película ?

PEDRO. — ¿ No lo viste, antes de comenzar ? . . . La ayudó a dirigir nada menos que Rómulo Gallegos, el autor de la novela.

ALICIA. — ¿ Es *Doña Bárbara* una novela ?

PEDRO. — Sí, claro, y muy buena.

ALICIA. — Entonces, cuando volvamos a casa voy a leerla.

PEDRO. — ¡ Ah, qué bueno ! La leeremos juntos, ¿ no ?

ALICIA. — Sí, juntitos, para que puedas protegerme . . .

***

ENRIQUE. — ¿ Cómo te pareció la función, Juanita ?

JUANITA. — ¡ Admirable, Enrique ! Las decoraciones, los efectos de luz, el trabajo de los artistas, todo . . . ¡ Ah, y qué grande artista es Pilarcita Morales ! ¡ Qué bien hace el papel de Sor [16] Juana, y qué bella es ! Tiene una voz y unas manos divinas. Te confieso que desde que leí *Canción de cuna,* yo había soñado con [17] verla en la escena así, como la vimos esta noche . . .

ENRIQUE. — Tienes razón, Juanita. A mí me gustó mucho la Morales, pero . . . ¿ qué decir de la Guerrero ? . . . En el papel de Madre

11 **la luneta** orchestra section
12 **el palco** box
13 **el telón** curtain
14 **¡ quién pudiera !** if I could only!
15 **¿ Quiénes dirigirían . . . ?** I wonder who directed . . . ?
16 **Sor** Sister
17 **soñar con** to dream of

Superiora es magnífica. ¡Qué sencillez, qué dignidad y qué nobleza de gesto y de palabra! Eso es asombroso.[18] ¿No crees que debemos volver mañana a ver de nuevo la función?

JUANITA. — Sí, Enrique. Asistir a una tal representación[19] de *Canción de cuna* es alejarse del mundo de hoy, tan lleno de ruidos inútiles, y es entrar en otro mundo . . . ¿cómo diría yo?

ENRIQUE. — ¿En el mundo del espíritu, Juanita?

JUANITA. — Sí, precisamente . . .

VOCABULARIO SUPLEMENTARIO

aplaudir to applaud
el cómico comedian, actor
el decorado (la decoración) scenery, set (stage)
el entreacto (intermedio) intermission
el pasillo lobby (theatre)
trabajar (hacer un papel, desempeñar un papel) to act

PREGUNTAS

A

1. ¿Quiénes fueron al teatro y quiénes al cinema? 2. ¿Qué comedia deseaban ver Juanita y don Enrique? 3. ¿Qué película deseaban ver Alicia, su hermano y su novio? 4. ¿Qué es *Canción de cuna?* 5. ¿Qué es *Doña Bárbara?* 6. ¿Dónde compraron sus boletos nuestros cinco turistas? 7. ¿Cómo le pareció la película a Alicia, y qué le interesó mucho a Roberto? 8. ¿Por qué piensa Alicia leer la novela de Gallegos? 9. ¿Qué artistas hicieron los papeles de Sor Juana y la Madre Superiora? 10. ¿Le gustó a Juanita el trabajo de la Morales? 11. ¿Por qué le gustó mucho a don Enrique el trabajo de la Guerrero? 12. ¿Por qué desean Juanita y don Enrique ver de nuevo la representación de *Canción de cuna?*

B

1. ¿Le gusta a usted ir al cinema? 2. ¿Van ahora al cinema muchas gentes? 3. ¿Van ahora tanto como antes? 4. ¿Ve usted películas de movimiento en su casa? 5. ¿Puede usted verlas en la televisión? 6. ¿Qué películas prefiere usted? 7. ¿Cuáles son sus artistas preferidos (predilectos)? 8. ¿Cuáles son las *estrellas* más populares de Hollywood? 9. ¿Va usted al teatro? 10. ¿Le gustan a usted las comedias? 11. ¿Qué cómicos prefiere usted? 12. ¿Le gusta a usted la televisión?

[18] **asombroso** astounding, amazing [19] **la representación** performance

BELLAS ARTES

COMPAÑIA
de
PIEDAD GUERRERO

Hoy Domingo
a las 7.15 y 9.30

Canción de Cuna

La obra más bella y exquisita del insigne
MARTINEZ SIERRA

LUNETA.................... $5.00
PALCO 2a y 3a............. $4.00

Boletos en taquillas de 11 a 13 y de las 3 en adelante

¡HOY!
CINE TERESA

Grandioso Espectáculo
GUADALUPE DEL VALLE
Y
ANTONIO DE CÓRDOVA
en la admirable producción mexicana

DOÑA BÁRBARA

de Rómulo Gallegos

ADEMÁS:
Olga del Mar y
Mario Magaña
en la divertida comedia
MORIR QUIERO CONTIGO

Se pasarán a las 7 y a las 9.30

VOCABULARIO

Las Bellas Artes Fine Arts
de las 3 en adelante from 3 o'clock on
insigne famous
se pasarán a . . . performances at . . .

UNA PARTIDA DE JAI-ALAI[1]

41

LECCIÓN CUARENTA Y UNA

ROBERTO. — Sí, don Enrique . . . La pista[2] está llena de gente. ¿ Por qué no nos explica en qué consiste el jai-alai, para tener una idea antes de comenzar el juego ?

ENRIQUE. — Con mucho gusto. El jai-alai es un juego vasco.[3] Se parece al *handball,* pero es más interesante. Lo juegan cuatro *pelotaris,*[4] dos de cada bando (partido).[5] Todos llevan trajes blancos y boina[6] negra. Los de un bando llevan faja[7] roja, y los contrarios,[8] faja azul. Como ustedes ven, la pista, o *frontón,* es mucho más grande que la del *handball,* y los muros[9] son más altos. Y los pelotaris, en vez de ponerse guantes,[10] llevan una *cesta* cóncava y curvada hacia dentro: una especie de raqueta[11] larga y angosta, de malla[12] y marco[13] muy resistentes, que parece una enorme cuchara. ¿ Me entienden ? . . . Cuando un pelotari recoge la pelota[14] con la cesta, no sólo puede devolverla con mucha fuerza: puede hacerla deslizar rápidamente dentro de ella y darle así un *efecto*[15] extraordinario, haciéndola describir curvas muy complicadas. Lanzada[16] contra el muro con gran velocidad, la pelota puede rebotar[17] en forma tal, que a veces el pelotari contrario no la puede alcanzar, perdiendo así un *tanto.*[18] El bando que haga primero cuarenta tantos, gana la partida. Los

1 **jai-alai** *A Basque game*
2 **la pista** court
3 **vasco** Basque
4 **el pelotari** player
5 **el bando** team; **de cada —** on each side
6 **la boina** tam-o'-shanter
7 **la faja** sash
8 **el contrario** opponent
9 **el muro** wall
10 **el guante** glove
11 **la raqueta** racket
12 **la malla** mesh
13 **el marco** frame; **— resistente** strong frame
14 **la pelota** ball
15 **el efecto** spinning motion, "English"
16 **lanzar** to throw
17 **rebotar** to bounce
18 **el tanto** point

espectadores hacen sus apuestas[19] a medida que el juego avanza. El jai-alai es tan animado, que sólo pueden jugarlo hombres muy fuertes y ágiles. Pero vean ustedes: los pelotaris acaban de entrar. Oigan el alboroto.[20]

(*La partida avanza y los espectadores gritan y hacen sus apuestas*).

— ¡ Bravo, Urrutia, duro con ella ![21] . . . ¡ Ése sí que juega !

—¡ Qué va ! . . . ¡ No hay ninguno como Ugarte ! . . . ¡ Quince pesos a los azules ![22]

— ¡ Cuarenta a rojos ! . . . ¡ Aguirre, cógela allá, a la derecha !

— ¡ Ochenta a azules ! . . . ¡ Qué bien, Oñate ! . . . ¡ Ése es un pelotari ! . . . ¡ Cien pesos a azules ! . . . ¡ Dale ![23]

— ¡ Dale duro, Urrutia ! . . . ¡ Ahí ! . . . ¡ Así se juega ![24] . . . ¡ Doscientos pesos a rojos !

— ¡ Bravo, bravo !

***

PEDRO. — ¡ Qué juego, don Enrique ! . . . ¡ Esto sí es velocidad ! . . . ¡ Yo por poco me aturdo[25] tratando de seguir la pelota ! . . . Y los pelotaris . . . ¡ Qué ágiles !

ROBERTO. — ¿ Y los espectadores ? . . . ¡ Oh, qué alboroto ! . . . Yo no sabía que los mexicanos hicieran tanto . . .

ENRIQUE. — ¿ Qué dice, Roberto ? . . . En los toros,[26] y en los juegos de jai-alai, los mexicanos gritan como el diablo.

ROBERTO. — ¿ Y por qué "¡ Veinte a azules !", "¡ Cincuenta a rojos !", etc. ?

ENRIQUE. — Así gritan los corredores de apuestas,[27] y el dinero se paga al final de la partida.

ROBERTO. — ¿ Y los que pierden no se escapan sin pagar ?

ENRIQUE. — ¡ Oh, no, nunca ! Los que han apostado liquidan[28] sus apuestas con los corredores, y después van a beber, unos para consolarse, y otros para festejar sus ganancias.[29]

19 **la apuesta** wager
20 **el alboroto** din, noise
21 **¡ duro con ella !** hit it hard!
22 **a los azules** on the blues
23 **¡ Dale !** Hit it!
24 **¡ Así se juega !** That is the way to play!
25 **Yo por poco me aturdo** I was almost in a daze
26 **los toros** bullfights
27 **el corredor de apuestas** broker who takes wagers
28 **liquidar** to settle
29 **festejar sus ganancias** to celebrate their winnings

PEDRO. — Es admirable, don Enrique, y le confieso que he de volver a ver otras partidas. ¡ El jai-alai para mí ! Mañana vendré con Alicia, porque estoy seguro de que a ella le gustará este juego tan viril y tan dinámico.

ENRIQUE. — ¿ Y piensa traer dinero para apostar ?

PEDRO. — Ya lo creo, don Enrique. ¡ Veinte a rojos ! . . . ¡ Cincuenta a rojos !

ENRIQUE. — ¿ Y por qué no ¡ cincuenta a azules ! también ? Así se divertirá usted y no perderá su dinero.

PEDRO. — Ésa es una idea, don Enrique. Yo apuesto a rojos, y que Alicia apueste a azules, ¿ no le parece ?

ENRIQUE. — ¡ Bravo, bravo !

PREGUNTAS

A

1. ¿ Dónde se juega al jai-alai ? 2. ¿ Se juega sólo entre los vascos ? 3. ¿ Cómo se llama el sitio donde se juega ? 4. ¿ Cómo se llaman y cuántos son los jugadores de jai-alai ? 5. ¿ Cómo se visten los pelotaris ? 6. ¿ Con qué recogen la pelota ? 7. ¿ A qué juego americano se parece el jai-alai ? 8. ¿ Cómo es una cesta de jai-alai ? 9. ¿ A cuántos tantos se juega una partida de jai-alai ? 10. ¿ Qué bando gana la partida ? 11. ¿ Se hacen apuestas en las partidas de jai-alai ? 12. ¿ Quiénes las hacen ? 13. ¿ Cuándo las hacen ? 14. ¿ Con quiénes se liquidan las apuestas ? 15. ¿ Le gustó mucho a Pedro el jai-alai ? 16. ¿ Por qué ?

B

1. ¿ Juega usted al *handball ?* 2. ¿ Se pone usted un guante o una cesta para jugar al *handball ?* 3. ¿ Dónde se juega al *handball ?* 4. ¿ Se parecen el *handball* y el jai-alai ? 5. ¿ Cuál de los dos juegos es más dinámico ? 6. ¿ Se necesita ser ágil y fuerte para jugar al jai-alai ? 7. ¿ Le gustaría a usted jugar al jai-alai ? 8. ¿ Hace usted apuestas en las partidas de *football ?* 9. ¿ Quiénes las hacen ? 10. ¿ Se hacen las apuestas durante las partidas de *football ?*

EJERCICIOS

I. *Explíquense por medio de oraciones completas:* la leche pasterizada; los zapatos de calle; la taquillera; el jai-alai; la pista.

II. *Conversation.* Mention your favorite sport or game, and tell why you prefer it.

PLAZA
MÉXICO
Seis Hermosos toros
Mañana a las 4
"PASTEJÉ"
De la Famosa Ganadería de don Féliz Iturbide
GRANDIOSO ENCIERRO
Dos grandes toreros en competencia
DOMINGUÍN
Español, vs.
CHAMACO
Mexicano
Precios de Entrada
SOMBRA $6.00 · · · SOL $3.00
Boletos de venta en todas partes.

UNA EXCURSIÓN

42

LECCIÓN CUARENTA Y DOS

ENRIQUE. — ¿ Tendremos hoy una buena excursión ?

EL GUÍA.[1] — Sí, señor, muy interesante. Iremos al Santuario[2] de Guadalupe y a las pirámides de Teotihuacán.

ENRIQUE. — ¿ Y está todo listo ?

EL GUÍA. — Sí, cómo no. Iremos en este Buick, y llevaremos el *lunch,* porque en Teotihuacán no hay hoteles ni restaurantes.

JUANITA. — ¿ Y en dónde vamos a pasar la noche ?

EL GUÍA. — En la ciudad de Puebla, donde tendremos muchas cosas que ver: la Catedral, la iglesia de Santo Domingo, el convento de Santa Mónica, las fábricas de lozas, muchas cosas.

ALICIA. — ¡ Ah, entonces, andando !

***

JUANITA. — ¡ Qué maravilla ! ¡ Qué templo tan hermoso !

EL GUÍA. — Sí lo es, aunque no tanto como los que vamos a ver en Puebla. En cambio este Santuario es el más venerado[3] del país.

ALICIA. — ¿ Y eso por qué ?

EL GUÍA. — Porque la Virgen de Guadalupe es la Patrona[4] de México. Aquí vienen peregrinos[5] de todas partes. Muchos vienen a esa capilla contigua[6] a sacar agua del pozo.[7] Según dicen, esa agua cura muchas enfermedades.

JUANITA. — ¿ Y por qué se erigió[8] el templo en este desierto ? ¿ A causa del agua ? . . .

EL GUÍA. — La tradición dice que un día del año 1531 la Virgen se le apareció aquí al indio Juan Diego, diciéndole: "Juan, ve y dile al

[1] **el guía** guide
[2] **el Santuario** Sanctuary
[3] **el más venerado** the one most highly revered
[4] **la Patrona** patron saint
[5] **el peregrino** pilgrim
[6] **esa capilla contigua** that adjacent chapel
[7] **el pozo** well
[8] **erigir** to erect

obispo[9] de México que me erija un templo en este lugar." El indio obedeció, pero el señor obispo no le hizo caso.

ALICIA. — ¿ Y qué sucedió entonces ?

EL GUÍA. — Cuando el indio le dijo a la Virgen que el obispo no había querido creerle, ella le mandó que le llevase al prelado[10] algunas flores de las muchas que Juan Diego tenía a sus pies. El indio obedeció, maravillado[11] de ver tantas flores en un sitio tan árido, y recogió las que pudo, y las puso en su *tilma*.[12] Corriendo fué al obispo, y al abrir la tilma para ofrecerle las flores, los dos vieron que en ella estaba estampada,[13] en colores hermosísimos, la imagen de la Virgen. Era una Virgen morena,[14] como las indias. El obispo comprendió, y ordenó que se erigiera aquí este Santuario, cerca de la fuente que había brotado[15] en el desierto . . .

JUANITA. — ¿ Y dónde está la imagen ahora ?

EL GUÍA. — La original está aquí, y pronto la veremos. De ella se han hecho miles y miles de copias que se ven en todo México.

* * *

ROBERTO. — ¡ Oh, qué estupendo ! Aquí, la Pirámide del Sol; cerca, la de la Luna; no lejos, la Ciudadela[16] y el Templo de Quetzalcoatl,[17] y allá el Valle, rodeado de montañas y volcanes.

PEDRO. — Y ese cielo, tan alto y luminoso, y esas nubes . . . ¿ Verdad que éste es un mundo diferente del que hemos visto en México, la ciudad moderna y cosmopolita ? . . .

ROBERTO. — Sí, Pedro. Aquí reposa el pasado, con su misterio. Allá . . . ¿ Y por qué tiene este sitio el nombre de Teotihuacán ?

EL GUÍA. — El nombre significa "Ciudad de los Dioses." Aquí estaba el centro religioso de los toltecas, antiguos habitantes de este valle sin rival. Vean ustedes: allá se ven las huellas[18] de los conventos toltecas.

PEDRO. — ¿ Los conventos ? . . . ¿ Tenían conventos los toltecas ?

EL GUÍA. — ¿ Y por qué no ? Los tenían, como los tienen en el Tibet, en la China, en el Japón . . .

PEDRO. — Es verdad . . . ¿ Y a qué altura estamos ?

EL GUÍA. — A doscientos diez y seis pies sobre el nivel[19] del Valle, en

9 **el obispo** bishop
10 **el prelado** prelate
11 **maravillar** to surprise
12 **la tilma** blanket
13 **estampar** to print
14 **moreno** brunette
15 **brotar** to spring forth
16 **la Ciudadela** Citadel
17 **Quetzalcoatl** *the plumed god of the Aztecs*
18 **la huella** trace
19 **el nivel** level

la cima de la pirámide, que tiene setecientos cincuenta y un pies por setecientos veintiuno de base.[20] Y como sobre la cima había antes un templo, se puede decir que esta pirámide es mayor que la de Keops (Cheops), la mayor del Egipto.

ROBERTO. — ¿ De veras ? ¿ Y por qué no es tan famosa como la de Keops ?

EL GUÍA. — Algún día lo será, cuando se conozcan mejor las cosas del antiguo México, que son extraordinarias.

PEDRO. — ¿ Y de qué son estas pirámides ?

EL GUÍA. — Son de piedra. La del Sol estaba cubierta de *tezontle,*[21] y brillaba como el sol. La de la Luna era blanca, sin duda, pero ahora las dos han tomado un color gris,[22] como ustedes lo ven.

PEDRO. — ¡ Qué interesante ! ¿ Y qué nos dice de todo lo demás ?

EL GUÍA. — Allá se ven los muros de la Ciudadela, tan hermosos, y el Templo de Quetzalcoatl, el dios a quien los indios representaban como una serpiente emplumada,[23] según aparece en las esculturas[24] de esa parte del templo ya restaurada. Ese camino que va de las pirámides al templo se llamaba el Camino de los Muertos. Por él iban las víctimas humanas que se sacrificaban al dios, en ese patio rodeado de pequeñas pirámides donde los emperadores[25] y los nobles presenciaban[26] los sacrificios.

ROBERTO. — Lo que hemos visto hoy parece increíble. Del Santuario de Guadalupe a Teotihuacán . . . ¡ qué diferencia y qué contraste ! En aquél vimos el arte moderno al servicio del culto del amor, y aquí el arte antiguo al servicio del culto de la sangre . . . ¿ Qué dices tú, Pedro ?

PEDRO. — No sé, Roberto . . . Son dos cultos diferentes, que mucho contrastan, sí . . . Pero, ¿ quién podría decir qué arte es el mejor, si el antiguo o el moderno ?

PREGUNTAS

1. ¿ A dónde fueron nuestros turistas con el guía ? 2. ¿ Cómo fueron al Santuario de Guadalupe ? 3. ¿ Por qué llevaron el *lunch ?* 4. ¿ Es el Santuario de Guadalupe el templo más hermoso de México ?

[20] **de base** measured around the base
[21] **tezontle** *a red volcanic rock*
[22] **gris** grey
[23] **emplumado** plumed
[24] **la escultura** sculpture, carving
[25] **el emperador** emperor
[26] **presenciar** to witness

5. ¿Dónde está este Santuario? 6. ¿Por qué es tan venerado? 7. ¿Quién es la Patrona de México? 8. ¿Es rubia o morena la Virgen de Guadalupe? 9. ¿Cómo se llamaba el indio a quien se le apareció la Virgen? 10. ¿Qué le dijo la Virgen a Juan Diego? 11. ¿Cuántas veces se le apareció la Virgen al indio? 12. ¿Dónde puso Juan Diego las flores que recogió en el desierto? 13. ¿A quién se las llevó? 14. ¿Dónde apareció estampada la imagen de la Virgen? 15. ¿Dónde está el original de la imagen de la Virgen de Guadalupe? 16. Después de visitar el Santuario ¿a dónde fueron nuestros turistas? 17. ¿Quiénes subieron a la cima de la Pirámide del Sol? 18. ¿Es muy alta esta pirámide? 19. ¿Por qué no subieron a la cima Juanita, Alicia y don Enrique? 20. ¿Cómo representaban los indios a Quetzalcoatl? 21. ¿Qué significa Teotihuacán? 22. ¿Qué era este sitio en los tiempos antiguos? 23. ¿Son hermosos los muros de la Ciudadela? 24. ¿Cuántas pirámides hay en Teotihuacán?

EJERCICIOS

I. *Verdad o mentira que:* 1. Los turistas fueron en coche a las pirámides de Teotihuacán. 2. En Teotihuacán hay hoteles y restaurantes. 3. Pensaban los turistas volver a la capital el mismo día. 4. La Virgen de Guadalupe es la patrona de México. 5. Muchos peregrinos van a Guadalupe a curarse. 6. La Virgen se le apareció a uno de los conquistadores españoles. 7. El obispo al principio no le hizo caso al indio Juan Diego. 8. Teotihuacán significa "ciudad de los reyes." 9. La Pirámide del Sol es muy alta. 10. Los aztecas sacrificaban víctimas humanas.

II. *Conversation.* Mention the attractions that your city or town has for tourists.

UN ACCIDENTE EN EL HIELO

1. **el hielo** ice
2. **los patines** skates
3. **los patinadores** skaters
4. **patinando** skating
5. **la señal de peligro** danger sign
6. **la caída** fall
7. **el rescate** rescue
8. **el agujero** hole
9. **las grietas** cracks
10. **el lazo** rope
11. **el médico** doctor
12. **la enfermera** nurse
13. **la marmita** kettle
14. **el estetoscopio** stethoscope
15. **el baño de pies** foot bath

PREGUNTAS

A

1. ¿ Qué representan estas ilustraciones ?
2. ¿ Cuántas personas se ven en la primera ?
3. ¿ Son patinadores todos los que se ven en ellas ?
4. ¿ Están todos patinando ?
5. ¿ Dónde están patinando algunos de ellos ?
6. ¿ Cuál de ellos tuvo un accidente ?
7. ¿ Qué le sucedió (pasó, ocurrió) al joven ?
8. ¿ Dónde se cayó ?
9. ¿ Qué dijo al caer ?
10. ¿ Quién lo salvó (rescató) ?
11. ¿ Cómo lo sacó del agujero donde cayó ?
12. ¿ A dónde lo llevaron ?
13. ¿ Se enfermó el joven a consecuencia de la caída ?
14. ¿ Qué remedios le hicieron (dieron) en el hospital ?

B

1. ¿ Le gusta a usted patinar ?
2. ¿ Dónde patina usted ?
3. ¿ Cuándo se puede patinar en los lagos y en los ríos ?
4. ¿ Es peligroso patinar ?
5. ¿ Cuántas clases de patines hay ?
6. ¿ Qué clase de patines prefiere usted: los de hielo o los de ruedas ?
7. ¿ Entre quiénes son muy populares los patines ?
8. ¿ Dónde puede usted patinar con patines de ruedas ?
9. ¿ Viene usted en patines a la escuela ?
10. ¿ Le gusta a usted patinar al aire libre ? ¿ Dónde ? ¿ Cuándo ?

EJERCICIO

Conversation Review. At a party you and your friends tell of an accident that happened once when:

a. You were fishing.
b. Mary and John went skating.
c. You made a wager at a game of jai-alai.
d. You were at a picnic.

EN XOCHIMILCO

43

LECCIÓN CUARENTA Y TRES

ALICIA. — Pero, tía Lolita: el regalo [1] que me hizo usted anoche en la fiesta es muy bonito. ¿ Para qué más ?

DOÑA DOLORES. — No, Alicia. El cambio de argollas merece celebrarse mejor. ¡ Sí, mejor que mejor ! Además, todo está listo para ir a Xochimilco. Mi sobrino Daniel irá con nosotros. A él le encantan las chinampas.[2]

JUANITA. — ¿ Las chinampas ? ¿ Y qué es eso, tía Lolita ?

DOÑA DOLORES. — Los jardines flotantes.

JUANITA. — ¡ Oh ! No sabía que tenían un nombre tan bonito. ¿ Y qué significa ?

DOÑA DOLORES. — Yo no lo sé. Lo sabrá Daniel, que es tan amigo de [3] saber aun las cosas que no deben saberse. ¿ No cree usted, Juanita, que la verdad destruye a menudo la poesía del mundo ?

JUANITA. — Así parece, pero la verdad es bella también.

DOÑA DOLORES. — A veces. A mí me gusta más la poesía, o como dice Alicia, el *romance.*

* * *

DOÑA DOLORES. — Bueno, hemos llegado. A ver, Daniel, ve tú y alquila mi chalupa.[4] Ya sabes: *La Mexicana.* ¡ Es tan linda y tan segura !

DANIEL. — Está bien, tía Lolita. Dentro de dos minutos estaré aquí con ella.

(*Daniel vuelve con una chalupa que lleva al frente un arco* [5] *decorado de flores, y allí el nombre de* LA MEXICANA. *Doña Dolores y nuestros turistas se embarcan, y* LA MEXICANA *se desliza suavemente por los quietos canales de Xochimilco*).

[1] **el regalo** gift
[2] **la chinampa** "floating garden"
[3] **ser amigo de** to be fond of
[4] **la chalupa** small flat boat
[5] **el arco** arch

JUANITA. — ¡ Esto es delicioso, encantador! ¿ Qué árboles son ésos? ¿ Y las flores?

DOÑA DOLORES. — Son álamos,[6] y las flores son hortensias,[7] margaritas,[8] claveles, rosas . . . Aquí hay muchísimas. Compraremos algunas. Ahí vienen los vendedores en sus canoas.

UN VENDEDOR. — A ver, mi señora, cómpreme los ramilletes.[9] Vea qué bonitos. Se los doy a cincuenta centavos.

DOÑA DOLORES. — Bueno, dame tres: uno para Juanita, otro para Alicia, y otro para mí.

DANIEL. — ¿ Y para los señores nada? . . .

EL VENDEDOR. — ¿ Flores para ellos? . . . No, no . . . ¿ Por qué no les da tequila? Toditos van muy tiesos,[10] y en LA MEXICANA . . . Eso no puede ser . . . Déles tequila para que se aflojen[11] . . .

DANIEL. — Bueno, amigo, danos tres botellas. Así iremos flotando de verdad.

EL VENDEDOR. — ¿ Qué dice, señor? LA MEXICANA va flotando, sin duda, y los jardines . . .

DANIEL. — ¿ Las chinampas? . . . Ésas no flotan, ni flotarán nunca, aunque digan lo contrario las agencias de turismo[12] y las señoras románticas como mi tía . . .

DOÑA DOLORES. — ¿ No se lo dije? . . . Este Daniel no sabe lo que es la poesía. Las chinampas no flotan ahora, pero hace siglos, en tiempos de los aztecas . . .

DANIEL. — Tampoco flotaban, tía Lolita.

DOÑA DOLORES. — Yo digo que sí flotaban . . . Y si no, ¿ dónde está la poesía?

DANIEL. — En el alma. Las chinampas no flotaban. Lo dice la palabra chinampa, compuesta del azteca *chinamitl*, "cerca de cañas,"[13] y el afijo[14] *pa*, *"donde."* Chinampa significa "donde (están) las cercas de caña."

DOÑA DOLORES. — Bueno, ¿ y eso qué más da?[15] . . . Los jardines flotaban en el lago[16] de Chalco.

6 **el álamo** poplar
7 **la hortensia** hydrangea
8 **la margarita** daisy
9 **el ramillete** bouquet
10 **Toditos van muy tiesos** Every single one is so tense
11 **aflojarse** to relax
12 **la agencia de turismo** tourist agency
13 **la cerca de cañas** enclosure of rushes
14 **el afijo** suffix
15 **¿ y eso qué más da?** And what is the difference?
16 **el lago** lake

DANIEL. — Que era un pantano[17] . . . Los indios buscaban en él los sitios bajíos;[18] allí construían cercas de cañas, en cuadros, y dentro de ellas ponían la tierra que sacaban del fondo del pantano, formando así, a un mismo tiempo,[19] los canales y las chinampas. Traían suelo vegetal,[20] y cultivaban flores y legumbres, y también árboles que, al crecer, echaban raíces profundas.[21] ¿ Cómo podrían así flotar las chinampas ?

ENRIQUE. — ¡ De veras ! . . . ¿ Por qué las llaman "jardines flotantes" ?

DANIEL. — Ésa es una patraña[22] de viajeros que no razonan ni observan las cosas.

DOÑA DOLORES. — Así será, pero yo creo que estos jardines flotaban. ¿ Qué digo ? Ahora mismo . . . Sí, sí: los árboles suben y bajan, y los jardines se mueven.

DANIEL. — Tía Lolita, tía Lolita . . . Según parece, el tequila te está haciendo buen efecto[23] . . .

JUANITA. — ¡ Y a mí también !

ALICIA. — ¡ Y a mí ! . . . ¡ Claro que sí ! ¡ Todo está flotando ahora ! ¡ Qué rico !

(*Se oyen músicas y voces que vienen cantando: "Estrellita . . . de lejano*[24] *cielo . . . que sabes mi querer*[25] *. . . Estrellita" . . .*).

¡ Ay, qué romántico ! ¿ Quiénes cantan ?

DANIEL. — Unos mariaches[26] que vienen en chalupas. Y no lo hacen mal, ¿ eh ?

ALICIA. — ¡ Oh no, divinamente ! ¡ Parece cosa de otro mundo !

DOÑA DOLORES. — ¿ No se lo decía, Alicia ? En Xochimilco todo flota: las canciones, las chinampas, la poesía . . .

DANIEL. — El tequila, tía Lolita . . .

[17] **el pantano** swamp
[18] **el sitio bajío** lowland site
[19] **a un mismo tiempo** at one and the same time
[20] **el suelo vegetal** soil
[21] **echar raíces profundas** to send out deep roots
[22] **la patraña** fib
[23] **hacerle buen efecto a uno** to have a real effect on one
[24] **lejano** distant
[25] **el querer** love
[26] **los mariaches** minstrels (*Mexican*)

PREGUNTAS

1. ¿Quiénes fueron a Xochimilco con doña Dolores? 2. ¿Por qué los llevó a Xochimilco? 3. ¿Qué hay en ese sitio? 4. ¿Qué había antes? 5. ¿Qué es una chinampa? 6. ¿Quiénes construyeron las chinampas de Xochimilco? 7. ¿Cómo las construyeron? 8. ¿Flotan en realidad las chinampas? 9. ¿Por qué no pueden flotar? 10. ¿Es Daniel amigo de la verdad? 11. ¿Le gusta la poesía a tía Lolita? 12. ¿Qué es una chalupa? 13. ¿Cómo decoran los mexicanos sus chalupas? 14. ¿Qué compró tía Lolita en Xochimilco? 15. ¿Qué compró Daniel? 16. ¿Por qué comenzaron a "flotar" tía Lolita y sus amigas? 17. ¿Ha estado usted "flotando" en Xochimilco? 18. ¿Qué es *Estrellita?* 19. ¿Sabe usted cantar esta canción? 20. ¿Por qué no la aprende?

EJERCICIO

Verdad o mentira que: 1. Daniel es primo de Lolita. 2. Las chinampas son jardines que flotan en el agua. 3. La chalupa lleva al frente un arco decorado de flores. 4. Es delicioso deslizarse por los canales de Xochimilco. 5. Los vendedores de flores se acercan en sus canoas. 6. Para aflojarse los señores se toman tequila. 7. A causa del tequila los jardines parecen flotar.

DE VUELTA[1]

44

LECCIÓN CUARENTA Y CUATRO

DOÑA DOLORES. — ¡ Quién lo creyera ! Juanita y don Enrique se fueron ayer a ver las ruinas de Chichen Itza, y ustedes ahora . . . ¿ Por qué se van tan pronto ?

ROBERTO. — Porque ya es tiempo, tía Lolita. Pedro y Alicia . . .

DOÑA DOLORES. — Sí, lo sé, pero ¿ cuándo se casan ?

ALICIA. — Dentro de dos semanas, si así lo quieren nuestras mamás.

DOÑA DOLORES. — ¡ Oh, qué bueno ! Y pensar que fué en mi casa donde cambiaron argollas. Nunca me olvidaré de ello. ¿ Y no volverán ?

PEDRO. — Volveremos, sí, el año entrante.[2]

DOÑA DOLORES. — ¿ Todos ustedes ?

PEDRO. — No sé. Alicia y yo, por lo menos. Tenemos deseos de visitar a Guadalajara.

ALICIA. — Y a Acapulco . . .

DOÑA DOLORES. — ¿ Y por qué no a Morelia y a Guanajuato, que son tan bonitas ? Acapulco . . .

ALICIA. — ¿ No es muy elegante ?

DOÑA DOLORES. — Así dicen, pero es muy caro. Eso es para los que tienen mucho dinero, y para los que quieren conseguirlo fácilmente, ¿ saben ?

ALICIA. — Y para los jóvenes que quieren divertirse, tía Lolita. Hoteles, casinos, playas, deportes, música . . .

DOÑA DOLORES. — La música la pueden oír en cualquier parte, aun en el lago de Páscuaro.

ALICIA. — ¡ Ay, sí ! Ese lago encantador, con sus pescadores y sus barcas de velas[3] que parecen alas de enormes mariposas[4] . . . ¡ Tendremos que verlo el año entrante !

[1] **estar de vuelta** to be back
[2] **entrante** coming, next
[3] **la barca de vela** sail boat
[4] **la mariposa** butterfly

DOÑA DOLORES. — Y ver mucho más. Mi México tiene tantas cosas, Alicia. ¿ Y por qué vuelven a Miami ?

PEDRO. — Porque allá dejamos mi coche, y en él tenemos que volver a casa.

DOÑA DOLORES. — ¡ Oh ! . . . Ustedes se mueven mucho, ¿ verdad ?

ALICIA. — ¿ Cómo así, tía Lolita ?

DOÑA DOLORES. — Digo que viajan por todas partes, y siempre de prisa. Ayer no más fueron a la Habana; luego vinieron a la Capital, y visitaron casi todos sus alrededores;[5] hoy, en avión irán a Miami, y luego a casa en coche. Y dentro de dos semanas, ¿ quién sabe ? . . . ¿ Se irán en cohete,[6] por los mares azules del amor ? . . .

ALICIA. — ¡ Ah, pero qué cosas dice usted, tía Lolita ! ¿ Y a usted no le gusta viajar ?

DOÑA DOLORES. — Sí, claro, pero yo prefiero hacerlo muy despacio, y a pie si es posible. El año pasado, ¡ figúrense ustedes !, con mis sesenta y dos años y todo, pues ¡ volé a Veracruz, aunque parezca mentira ![7] Como quería ver el mar . . .

ALICIA. — ¿ Y no le gustó el vuelo ?

DOÑA DOLORES. — Pues, a la verdad . . . Les diré: un vuelo es muy emocionante, sí, pero, ¡ figúrense !, de aquí a Veracruz no vi sino nubes y más nubes. En avión se viaja bien, y muy rápidamente, pero . . . ¿ Cómo diré ? . . . Sí, eso: se ve menos y menos de más y más. En cambio, cuando se viaja a pie, se ve más de menos y menos, y todo se puede observar bien y gozar mucho.

PEDRO. — Tía Lolita puede tener razón.

DOÑA DOLORES. — Pues sí, la tengo. Vean ustedes: yo he vivido diez años sin salir de la Capital, excepto para ir a Xochimilco. ¿ Se acuerdan ? . . . Pero ¡ qué bien conozco mi casa, las flores del jardín, la ciudad, y este cielo de México, el más alto y luminoso del mundo !

ALICIA. — Eso es cuestión de opiniones. Pero, miren ustedes: el avión ya va a partir. (*Abrazando a doña Dolores*). Tía Lolita, ¡ hasta más ver !

DOÑA DOLORES. — (*Lloriqueando*[8] *y suspirando*). ¡ Ay, sí, Alicia ! Lo que será, será. ¡ Hasta más ver ! (*Abrazando luego a Roberto y a Pedro*). ¡ Adiós, muchachos !

PEDRO Y ROBERTO. — ¡ Adiós, tía Lolita, y mil gracias por todo !

DOÑA DOLORES. — Adiós, que tengan buen viaje, y que sean muy felices. ¡ Adiós, adiós !

[5] **los alrededores** surroundings
[6] **el cohete** rocket
[7] **parecer mentira** to seem incredible
[8] **lloriquear** to cry, be at the point of tears

PREGUNTAS

A

1. ¿Quién acompañó a los viajeros al aeropuerto? 2. ¿A dónde se fueron antes Juanita y su esposo? 3. ¿Cuándo piensan casarse Alicia y Pedro? 4. ¿Desean los dos volver a México? ¿Cuándo? 5. ¿Qué desean ver? 6. ¿Son muy bonitas Morelia y Guanajuato, según doña Dolores? 7. ¿Es Acapulco muy elegante? 8. ¿Ha volado tía Lolita alguna vez? 9. ¿A dónde voló? 10. ¿Qué vió doña Dolores durante el vuelo? 11. ¿Dónde ha vivido tía Lolita durante los últimos diez años? 12. ¿Ha salido alguna vez de la Capital? 13. ¿A dónde ha ido? 14. ¿Por qué volaron a Miami Alicia, Roberto y Pedro? 15. ¿Es tía Lolita un poco fatalista?

B

1. ¿Ha volado usted? 2. ¿Le gusta a usted viajar en avión? 3. ¿Es cómodo el viaje en avión? 4. ¿Se ven muchas cosas desde un avión? 5. ¿Qué cosas se ven si el día está muy claro? 6. ¿Por lo común qué se ve desde un avión? 7. ¿Vuelan muy alto los aviones modernos? 8. ¿Le gusta a usted ir al campo? 9. ¿Va usted a pie al campo? 10. ¿Se pueden ver bien las cosas cuando se viaja a pie? 11. ¿Cómo es el cielo de México? 12. ¿Cómo es el cielo de la ciudad donde vive usted? 13. ¿Es muy claro el cielo de Nueva York? 14. ¿Es claro el cielo de las ciudades industriales? 15. ¿Por qué no es muy claro?

EJERCICIOS

I. *Escoja usted la palabra que no pertenezca a cada grupo:*
  a. el bazar, la apuesta, el mercado, la tienda, la botica.
  b. el clavel, la rosa, la hortensia, la pista, la margarita.
  c. el paraguas, la falda, la camisa, los zapatos, la corbata.
  d. la taquillera, el guía, el boleto, la película, la estrella.
  e. la pelota, la pista, el teatro, la cesta, el pelotari.
  f. el guía, las ruinas, el pariente, la pirámide, el turista.
  g. el primo, la tía, el abuelo, el padre, el novio.
  h. el tequila, la leche, el vino, la cerveza, el pan.

II. *Conversation.* As you take leave of some friends whom you have been visiting, thank them for their kindness, invite them to visit you next summer, and tell them how you will entertain them.

EN LOS MARES DEL AMOR

45

LECCIÓN CUARENTA Y CINCO

MRS. JONES. — Alicia, Roberto, Pedro . . . ¡ Bienvenidos ! ¡ Qué bueno es tenerlos en casa !

ALICIA. — Mamá, ¡ qué dicha ! ¿ Cómo estás ? ¿ Y papá ?

MRS. JONES. — Aquí todo bien. Tu papá, Mrs. Firestone y un amigo los esperan en el sótano.

ROBERTO. — ¿ En el sótano ? ¿ Y eso por qué allá ?

MRS. JONES. — Ya lo verán. Les tengo una sorpresa.

(En el sótano, que está transformado, Mrs. Firestone, Mr. Jones y el Profesor Morales cambian muchos saludos efusivos con los tres viajeros, y en seguida:)

ALICIA. — *(Observándolo todo)*. Pero, mamá, ¿ qué milagro[1] es éste ? ¡ El sótano está transformado ! Luces, sillas, sofá, cuadros, cortinas . . . ¿ Cuándo sucedió esto ?

MRS. JONES. — Mientras ustedes viajaban. Ya lo saben: hacía mucho tiempo que queríamos tener un *play room* como éste, y tu papá, trabajando todas las tardes, ha hecho el milagro.

ALICIA. — Ajá . . . Y radio, y televisión también.

MR. JONES. — Sí, y en colores. Es una Sylvania, y del último modelo.

ALICIA. — ¡ Oh, qué bueno ! *(Dándole a su padre una palmadita[2] en la mejilla)*.[3] Papacito, ¡ tú eres una alhaja !

MR. JONES. — *(Acariciándola[4] también)*. ¡ Oh, tú ! . . . Y como Roberto nos dijo en una carta que Pedro había sacado muchas fotos del viaje, pues . . . ahí están el aparato de proyecciones,[5] el telón y lo demás, todo listo y de primera calidad. ¿ Podremos verlas, Pedro ?

[1] **el milagro** miracle
[2] **la palmadita** pat with the hand
[3] **la mejilla** cheek
[4] **acariciar** to caress
[5] **el aparato de proyecciones** projector

PEDRO. — Ahora mismo si quiere, papá.

MR. JONES. — ¿ Papá ? . . . Pedro, Alicia . . . ¡ Qué sorpresa !

ALICIA. — ¿ Sorpresas ? . . . Una más: miren papá, mamá, profesor . . . (*Se quita el guante*).

MRS. JONES. — (*Notando el anillo y la argolla de compromiso*). ¡ Alicia, hija mía ! ¿ Y esa argolla ?

ALICIA. — Oh . . . Pedro, muéstrales la tuya también.

(*Alicia y Pedro se quitan por un momento las argollas; les muestran sus nombres grabados en ellas, y todos las admiran, exclamando: ¡ Pero qué bien ! . . . ¡ Qué bonitas !*, etc.)

MRS. FIRESTONE. — ¡ Oh, cambiaron argollas !

ALICIA. — Sí, es una costumbre española.

MRS. FIRESTONE. — Es una buena idea. ¿ Y cuándo las cambiaron ?

ALICIA. — En la fiesta de tía Lolita, la noche antes de ese fabuloso paseo a Xochimilco de que le hablé a mamá en una de mis cartas . . .

EL PROFESOR MORALES. — ¡ Ah ! . . . Pues . . . ¡ mis felicitaciones ! ¿ Y antes del paseo a Xochimilco ? . . . Mrs. Jones algo me contó: ese paseo en que "flotaron" tía Lolita, Alicia y Juanita, ¿ eh ? . . . ¡ Qué dulce es "flotar", no ? (*El profesor se pone a "flotar" muy cómicamente, cantando al mismo tiempo: "Estrellita . . . de lejano cielo . . ."*).

ROBERTO. — ¡ Ja . . . ja . . . ja ! . . . Este profesor, ilustrando siempre con la acción todo lo que dice . . . Ja . . .

MRS. JONES. — ¡ No te rías, Roberto !

EL PROFESOR MORALES. — No se preocupe, Mrs. Jones. Déjelo reír. ¿ Qué es la vida sin la risa ? . . . Y Alicia: ¿ cuándo serán esas bodas ? [6]

ALICIA. — Eso depende de nuestras mamás. Pedro y yo queremos que sean el día del santo de papá, y muy sencillas. Aquí, en familia . . . ¿ No les parece ?

MRS. JONES. — Muy bien.

PEDRO. — ¿ Y tú qué dices, mamá ?

MRS. FIRESTONE. — ¡ Espléndido ! Todo lo tenemos listo.

PEDRO. — ¿ Todo listo, mamá ? . . . ¿ Pero cómo pudiste tú . . . ?

MRS. FIRESTONE. — Sí, Pedro. Es muy sencillo y muy natural: las mamás estamos siempre en todo.[7] Y los papás . . .

[6] **las bodas** wedding

[7] **las mamás estamos siempre en todo** we mothers always know what is going on

MR. JONES. — Vamos a ver las fotos, ¿ eh ? Estoy que me muero por verlas.

PEDRO. — Muy bien. Yo las proyecto, y Alicia les irá explicando todo.

MR. JONES. — ¡ Mis felicitaciones, Pedro ! Bien veo que ya te has embarcado en los mares del matrimonio . . .

ALICIA. — ¡ Papá ! . . . Mejor es decir en los mares azules del amor, como lo sugirió [8] tía Lolita, allá en ese México tan romántico . . .

PREGUNTAS

1. ¿ Dónde recibió Mrs. Jones a los tres viajeros ? 2. ¿ Dónde los recibieron Mrs. Firestone, Mr. Jones y el Profesor Morales ? 3. ¿ Cómo hallaron los viajeros el sótano de la casa ? 4. ¿ Qué vieron en el *play room ?* 5. ¿ Quién había transformado el sótano en un *play room ?* 6. ¿ Cuándo hizo ese milagro ? 7. Qué clase de aparato de televisión había comprado Mr. Jones ? 8. ¿ Por qué dice Alicia que su padre es una alhaja ? 9. ¿ Cuándo desean casarse Alicia y Pedro ? 10. ¿ Les pareció bien ese día a las dos mamás ? 11. ¿ Tenían ya todo listo las mamás para las bodas de sus hijos ? 12. ¿ Saben casi siempre las mamás lo que desean sus hijos ? 13. ¿ Qué hizo el profesor Morales al recordar el paseo a Xochimilco ? 14. ¿ Por qué se rió Roberto del profesor ? 15. ¿ Es bueno reír en la vida ? 16. ¿ Por qué proyectó Pedro las fotos en el *play room* de los señores Jones ? 17. ¿ Saca usted fotografías en colores ? 18. ¿ Dónde las proyecta usted ? 19. ¿ Piensa usted embarcarse ? 20. ¿ En qué mares espera usted embarcarse algún día ? 21. ¿ Quiénes se van a embarcar en los mares del amor ?

EJERCICIO

Conversation. Make questions based on the following expressions, and ask members of the class to answer them: una partida de jai-alai; hacer apuestas; la Pirámide del Sol; una visita a Xochimilco; despedirse de unos amigos; la llegada a casa; el aparato de televisión.

[8] **sugerir** to suggest

VOCABULARIO

Omitted from the vocabulary are: (1) adverbs in **–mente** when the corresponding adjective is given; (2) words which occur only once and are footnoted; (3) many words of almost identical spelling and meaning in both English and Spanish, such as **animal, artificial, cereal, garage, hotel,** and **profesor.** It should be noted that the plural of some of these words (**cereales, hoteles**) differs slightly from the English. There are many other related words in English and Spanish which the student should be able to recognize although the spelling in both languages is not identical. Typical of this group are such words as **accidente, ambición, decoración, posesión** and **presidente.** To look up the meaning of such words would be a waste of time. There are a few words, however, which have almost identical spelling in English and Spanish, but whose meaning differs considerably in the two languages. Words of this type found in *Entendámonos* are listed below, and it is recommended that the student memorize them at the outset in order to save time and avoid possible embarrassing mistakes:

acta minutes
amable nice, kind
colegio secondary school
cristal window pane
cuestión matter
delicioso delightful, pleasant
dependiente clerk
desgracia misfortune
despacho office
devolver to give back
elegante fashionable
fábrica factory
gentil graceful
gracioso funny
guardar to keep, put away, protect
habitación room
idioma language
imagen statue
largo long
lectura reading
marchar to run (*machinery*)
oración sentence
pariente relative
periódico newspaper
real royal
simpático nice, pleasant
suceder to happen
vaso glass

ABBREVIATIONS

adj. adjective
adv. adverb
cond. conditional
dim. diminutive
f. feminine
fut. future
imp. imperative; imperfect
ind. indicative
inf. infinitive
L.A. Latin American
m. masculine
n. name; noun
pl. plural
p.p. past participle
pr. proper
prep. preposition
pres. present
pret. preterite
sing. singular
subj. subjunctive

In general, irregular verb forms are listed as follows: **puse, pusiste,** *etc., pret. of* **poner**

A

a to, at, in, on, for, from, of, by
abandonar to abandon, leave
abanico fan
abarrote *m.* small package; **abarrotes** goods for sale
abierto *p.p. of* **abrir**
abrazar to embrace
abrigo coat
abrir to open, call to order; **se abre** it is called to order
absurdo absurd
abuelo grandfather
acá here, over here
acabar to end, finish; **acabarse** to come to an end; **acabar de** + *inf.* to have just; **acabo de ver** I have just seen; **acababa de dar** I had just given
Acapulco *city in Mexico*
accidente *m.* accident
aceite *m.* oil
aceituna olive
acelerador *m.* accelerator
aceptar to accept
acera sidewalk
acerca de about, regarding
acercarse to draw near, approach, go up to
acerque, acerques, *etc., pres. subj. of* **acercar**
acerqué *first sing. pret. of* **acercar**
aclamación acclamation
acometer to attack
acompañar to accompany, go with
aconsejar to advise
acontecimiento happening, event
acordarse to remember
acostarse to go to bed
acostumbrar to accustom; **acostumbrarse** to become accustomed
acróbata *m.* acrobat
acta minutes
actividad activity
activo active
actuar to act
acudir to hurry, hasten
acuerdo agreement; **de acuerdo con** according to
acusar to accuse
adecuado adequate, suitable
adelantado; por adelantado in advance
adelante ahead; **en adelante** on
además moreover, besides, in addition; **además de** besides, in addition to
adiós goodbye
admirable excellent, splendid, surprising
admirar to admire
aduana customhouse
advertir to warn, tell
aeropuerto airport
afeitar(se) to shave
aficionado fan, amateur; **aficionado a** fond of
aflojarse to relax
agasajar to entertain for
agencia agency
agente *m.* agent, policeman
ágil agile
agitado rough, fast, rapid
agitar to agitate, shake, wave
agradable pleasant
agradecer to be grateful for, thank for
agua *f.* water; **se le vuelve agua la boca** his mouth waters
Aguirre *pr. n.*
agujero hole
ahí there
ahora now; **ahora mismo** right now
ahorrar to save
ahorros savings
aire *m.* air; **al aire libre** in the open air
ajá aha
al = **a** + **el**; **al verle** upon seeing him, when I saw him
ala wing
alambre *m.* wire
alargar to enlarge upon
alarguen *pres. subj. of* **alargar**
alarmante alarming
alboroto noise, din
alcanzar to reach, overtake
alcoba bedroom
aldea village

alegrarse (de) to be glad
alegre happy, gay, pleasant
alegría happiness
alejarse to go away, move away
alfombra carpet, rug
algo something; **algo de** something; **algo que** something
alguien someone
alguno some, one, any
alhaja jewel
Alicia Alice
alimento food
alma soul
almacén *m.* store; **almacén de variedades** department store
almuerzo lunch
alojamiento lodging
alojar to lodge; **alojarse** to lodge, take lodging
alquilar to rent, hire; **se alquila** for rent
alquiler *m.* rent; **de alquiler** for rent
alto high, tall, upper; loud; halt. stop
altura altitude, height
alumno student
alzar to raise
allá there, over there
allí there
amable nice, kind, affable
ambicioso ambitious
ambulancia ambulance
americano American
amigo friend; **ser amigo de** to be fond of
amontonar to pile on
amor *m.* love
amorcito love, darling
amoroso loving
amplio large, wide
amueblado furnished
amueblar to furnish
anaquel *m.* shelf
ancho wide, broad
andar to walk, go, go about, travel, run (*of machinery*); **¡ andando !** let's get going!
angosto narrow
anillo ring
animación animation, spirit
animado animated, lively
animar to encourage, animate
anoche last night
anterior former, preceding, past
antes formerly, before; **antes de** before; **antes (de) que** before; **cuanto antes** as soon as possible
antiguo old, ancient
Antonio Anthony
anunciar to announce
anuncio announcement, advertisement
anzuelo fish hook
año year; **¿ cuántos años tiene ?** how old is he?
apagar to extinguish
aparato set
aparecer to appear; **aparecerse** to appear
apartamento apartment
aplanchado pressing, dry cleaning
apostar to bet
apoyar to support, second
apreciar to appreciate
aprender to learn
aprobar to approve
apropiado appropriate
aprovechar to profit by, take advantage of, make good use of
apuesta bet
apunte *m.* note; **sacar apuntes** to take notes
aquel that; **aquél** that one, the former
aquí here; **aquí mismo** right here; **por aquí** this way, here, around here
árbol *m.* tree
arco arch
argentino Argentine
argolla ring
árido arid
arquitecto architect
arreglar to arrange, fix up
arroz *m.* rice
arrozal *m.* field of rice, rice plantation
arruinar to ruin; **arruinarse** to be ruined
arte *m. or f.* art; **bellas artes** fine arts
artículo article, supply
artista artist
artístico artistic
asar to roast

ascensor *m.* elevator
asegurar to assure
así so, thus, in this way, like this
asiento seat
asistente *m.* orderly
asistir (a) to attend, be present (at)
asunto matter
atención: con mucha atención closely, carefully
atender to wait on
aterrizaje *m.* landing
aterrizar to land
atmósfera atmosphere
atomizador *m.* atomizer
atraer to attract, draw
atreverse (a) to dare
aun even
aunque even if, although
automóvil *m.* automobile
automoviliario automobile (*adj.*)
autor *m.* author
avanzar to advance, progress
avena oat, oatmeal
avenida avenue
aventura adventure
aviador *m.* aviator
avión *m.* plane, airplane
avisador *m.* fire alarm
avisar to inform, warn
aviso advertisement, notice, information, warning
ay ah, alas, indeed
ayer yesterday
ayuda help; **prestar ayuda** to help, aid
ayudar to help
azteca Aztec
azúcar *m.* sugar
azul blue

B

bacalao codfish
Bacardí *a Cuban rum*
bachiller: diploma de bachiller bachelor's degree
bailar to dance
baile *m.* dance
bajar to go down, come down
bajo under; low, lower
balcón *m.* balcony
baloncesta *m.* basketball
balsa float
banano banana
banco bank
bandera flag
bando team, side
banquillo stool
bañar to bathe; **bañarse** to bathe, take a bath, swim
bañista bather
baño bath; bathroom; **cuarto de baño** bathroom; **darse un baño** to take a bath; **de baño** for bathing; **traje de baño** bathing suit
bar *m.* counter (*where drinks are served*)
baranda railing
barato inexpensive
barbería barber shop
barbero barber
barca boat
basarse to be based
báscula scales
bastante enough, quite a lot (of)
bastar to be enough, be sufficient
bata bathrobe
baúl *m.* trunk
bautismo baptism
bazar *m.* market, oriental market
beber to drink
bebida drink
beisbol *m.* baseball
belleza beauty; **salón de belleza** beauty salon
bello beautiful
beso kiss
bestia beast, wild animal
betún *m.* shoe polish
biblioteca library
bien well; **está bien** very well; **mi bien** my beloved; **pues bien** well then; **todo bien** everything is fine
bienvenido welcome
bigoticos tiny moustache
billar *m.* billiards
billete *m.* ticket; **despacho de billetes** ticket office
binóculos field glasses
blanco white; **ropa blanca** linen
blusa blouse
boca mouth
bocacalle *f.* intersection
boda(s) wedding
bola ball
boleto ticket

bolita small ball
bolsillo pocket
bomba pump
bombero fireman
bombones *m.* candy
bondad goodness; **tenga la bondad de . . .** please . . .
bonito pretty
bordo: a bordo (de) on board (a ship)
borrador *m.* eraser
bote *m.* boat; garbage can; **bote de remo** rowboat
botella bottle
botellita small bottle
botica drug store
boticario druggist
boxeador *m.* boxer
boxeo boxing
Brasil (el) Brazil
¡ bravo ! hurrah! fine!
brazalete *m.* bracelet
brazo arm
brillantina brilliantine
brillar to shine, gleam, sparkle, glitter
brisa breeze
brocado brocade, embroidery
broma joke, jest
buen(o) good, well; very well; **buenas tardes** good afternoon
buey *m.* ox
bulto parcel, bundle, piece of baggage
buque *m.* boat, ship
burro burro, donkey
busca search
buscar to look for, search

C

caballero gentleman, sir; **caballeros** ladies and gentlemen
caballo horse
cabello(s) hair
cabeza head
cabildo town hall
cacao cocoa; **crema de cacao** *a liqueur*
cada each, every
caer to fall; **caerse** to fall down
café *m.* coffee, cafe
caída fall
caja box, cash register
cajero cashier
calamidad calamity; **ser una calamidad** to be terrible
calcetín *m.* sock
calcular to calculate; **máquina de calcular** adding machine
caldo broth, juice
calefacción heating
calentador *m.* heater
calentura fever
calidad quality
caliente warm, hot; **al caliente** to a warm one
calor *m.* heat; **hace calor** it is warm (weather); **tener (mucho) calor** to be (very) warm
calzoncillos shorts
calzones *m.* pants
calle *f.* street; **de calle** for everyday wear
cama bed, berth; **guardar cama** to stay in bed
cámara camera
camarera stewardess, maid
camarero steward, porter
camarote *m.* cabin
cambiar to change, exchange, cash
cambio change; exchange; **en cambio** on the other hand
camilla stretcher
caminar to walk
camino road, way, highway
camión *m.* truck
camisa shirt; **camisa de dormir** nightgown
camisería shirt store, shirt department
camiseta undershirt
campana bell
campanilla *dim. of* **campana**
campeón *m.* champion
campestre country, rustic; in the country
campo field, country; **campo de aviación** airfield
Canadá (el) Canada
canario canary bird
canasta basket
canción song
candidato candidate
canoa canoe
cansado tired

cansar to tire
cantar to sing
cantidad quantity, amount
canto singing
caña cane, stock, rush, reed
cañaveral cane brake
capacidad capacity
capital *f.* Mexico City; **ciudad capital** capital
cara face
caracol: ¡ caracoles ! the deuce!
cargador *m.* stoker
cargar to load
cargo office
Caribe (el) Caribbean
Carlota *pr. n. wife of the Emperor Maximilian*
carne *f.* meat
caro dear, expensive
carrera race
carretel *m.* reel
carretera highway
carta letter; **a la carta** a la carte; **papel de carta** stationery
cartera wallet
casa house, home, building, firm; **a casa** home; **en casa** at home
casado married
casarse (con) to marry, get married
casi almost, nearly
casilla cage
casino club
caso case; **hacer caso (de)** to pay attention (to)
catedral *f.* cathedral
catorce fourteen
causa cause; **a causa de** because of
causar to cause
cayó *3rd sing. pret. of* **caer**
caza hunt, chase, hunting
cazar to hunt
cebolla onion
celebrar to celebrate
celo: darle celos to make him jealous
cena supper
cenar to eat supper
cenicero ashtray
centavito little penny
centavo cent
centeno rye
centro center; downtown; **al centro** in the middle
ceñido close fitting
cepillo brush; **cepillo de dientes** tooth brush
cerca *f.* fence, enclosure
cerca near, close; **cerca de** near
cercano near, close
ceremonia: traje de ceremonia formal dress
cereza cherry
cerrar to close; **se cierra** it is adjourned
certificado certificate; registered
certificar to register
cerveza beer
cesta basket
cielito *dim. of* **cielo**
cielo heaven, sky; **estar en el cielo** to be in seventh heaven
científico scientific
cien(to) (one) hundred
cierto certain, true; a certain
cigarrillo cigarette
cigarro cigar
cima top
cinco five; **de las cinco** the five o'clock . . .
cincuenta fifty
cine *m.* "movies," moving picture industry
cinema *m.* "movies," moving picture industry
cinturón *m.* belt
circo circus; **de circo** circus
circulación traffic
círculo circle, group
circunstancia circumstance
cita appointment, date
ciudad city; **ciudad universitaria** university city
ciudadela citadel
civilizar to civilize
claro clear, bright; of course; **claro está** of course; **claro que sí** of course
clase *f.* class, kind; classroom; **sala de clase** classroom
clasificar to classify
clavel *m.* carnation
clavelito *dim. of* **clavel**
cliente *m.* customer
clima *m.* climate, clime
cobrador *m.* collector; payee
cobrar to cash, collect

cocina kitchen
cocinar to cook; **se cocina** one cooks
cocinita small kitchen
coche *m.* car, coach; **en coche** by car
coger to pick, pick up, catch, grab, grasp, seize, take
col *f.* cabbage
colega *m.* colleague
colegiado collegiate
colegio secondary school
colgar to hang up
colocar to put, place
colombiano Colombian
color *m.*; **de color** in color; **de colores** in various colors
combinar to combine
comedia play
comediante *m.* player, actor
comedor *m.* dining room; **coche comedor** dining car
comentar to comment, make comments on
comenzar to begin; **comenzar por** to begin with
comer to eat; **comerse** to eat up
comestibles *m.* food, groceries; **tienda de comestibles** grocery store
cómico comical; comic; comedian
comida meal, dinner, food
comité *m.* committee
como as, like, since, just as; **como si** as if; **¿cómo?** how?; **¿cómo es?** what is it like?; **¿cómo está?** what is it like?; **¿a cómo?** how much for . . . ?; **cómo no** indeed, of course
cómodo comfortable
compañero companion
compañía company
competencia competition; **en competencia** competing
completo complete
complicado complicated
componer to compose, make up
compra purchase; **ir de compras** to go shopping
comprador *m.* buyer, purchaser
comprar to buy
comprender to understand
compromiso engagement; **de compromiso** engagement
compuesto composed; compound; *p.p. of* **componer**
común common; **por lo común** generally, usually, as a rule, in general
con with
cóncavo concave
concentrar to concentrate
condimentar to season, spice
conducir to drive
conducta conduct
conferencia talk, lecture
confesar to confess
confundir to confuse, mistake
conmigo with me
cono cone
conocer to know; meet
conque and so; well then
conquistador *m.* conqueror
consecuencia: a consecuencia de as a result of
conseguir to get
consejo counsel, advice, bit of advice
consistir (en) to consist (of), be like
consolar to console
consomé *m.* consomme
construir to construct, build
consulado consulate
consulta consultation, appointment; **hacer una consulta** to look up something; **hacerle una consulta** to make an appointment with you; **libro de consulta** reference book
consultar to consult
consultorio office, doctor's office
consumir to consume, use
contacto contact
contagioso contagious
contar to tell, relate, count
contener to contain, have, hold back
contenido contents
contento happy, pleased
contigo with you
continuar to continue
contómetro adding machine, comptometer
contorsión contortion
contra against
contrario opposing, contrary; **lo contrario** the opposite
contrastar to contrast
contraste *m.* contrast

controlar to control, direct
convencer to convince
convenga *pres. subj. of* **convenir**
convenir to be fitting, be proper, be well, be a good idea
convento convent, monastery
convidar to invite
cooperar to cooperate
copa goblet, glass
copia copy
coquetear to flirt
corazón *m.* heart
corbata necktie
cordero lamb
Córdova: de Córdova *pr. n.*
corredor *m.* broker
corregidor *m.* magistrate, mayor
corregir to correct
correo post office, mail; **de correo** postage
correr to run
cortador *m.* cutter
cortadora lawn mower
cortar to cut
cortesía courtesy, politeness
cortina curtain
cosa thing, matter, something; **otra cosa** something else
cosmopolita cosmopolitan
costa coast
costar to cost
costumbre custom, habit
crecer to grow
creer to believe; **¡ ya lo creo !** I should say so!
crema cream
criar to raise, keep
criollita little Latin American girl; *name of a store*
criollo American, Creole; **a la criolla** in the Creole style; **lo criollo** what is Latin American
cristal *m.* window pane
croqueta croquette
crudo raw
cruel cruel person
cruzar to cross
c.u. = cada uno
cuaderno note book; **cuaderno de notas** note book
cuadra block
cuadro picture; square
cual; el cual which, who; **¿ cuál ?** which? which one? what?
cualquier any, any one at all, any one
cuando when; **¿ desde cuándo estudia usted ?** how long have you been studying?
cuanto how much, all that, as much as; **¿ cuánto ?** how much? **¿ cuántos ?** how many? **¿ a cuánto . . . ?** how much for . . . ?
cuarenta forty
cuarto room; fourth
cuatro four
cubanito little Cuban
cubano Cuban
cubierta deck
cubierto regular dinner; *p.p. of* **cubrir**
cubrir to cover
cuchara spoon
cucharita teaspoon
cuchillo knife
cuenta account
cuento story
cuerda cord, string, rope, line
cuerpo body
cuestión matter
cuidado care; **con cuidado** carefully; **tener cuidado** to be careful
cuidar to take care of, care for
culpa blame; **tener la culpa** to be to blame
cultivar to cultivate, raise
culto cult
cuna cradle; **canción de cuna** cradle song
cuñado brother-in-law
cuota dues
curar to cure
curioso curious, strange; bystander, spectator
curva curve
curvar to curve

CH

Chalco *a lake*
chalupa small, flat boat
Chamaco *a bullfighter*
champaña champagne
charlar to chat
cheque *m.* check
chequecito nice little check
chica young lady
chicle *m.* chewing gum

chico young man
Chichen Itza *site of famous Mayan ruins in Yucatan*
chileno Chilean
chimenea fireplace
chinampa floating garden
chiquito *dim. of* **chico** small, tiny
chiss *a sneeze*
chocar to collide
chofer *m.* driver, chauffeur
choque *m.* collision
chuleta chop

D

dar to give, take; **dar a** to face, open on; **darle duro** to hit it hard
Darío, Rubén *modern L.A. poet*
de of, in, about, on, for, from, with, against; **de usted** yours; **de a** for, at; **los de a . . .** those worth . . . , those for . . . , those at . . .
deber to owe, ought, should, must; **debido** fitting, correct; **debiera** he should
decidir to decide
décimo tenth
decir to say, tell; **es decir** that is to say; **le dije que un peso** I said one peso; **querer decir** to mean; **dirá usted** say rather
declarar to declare
decorar to decorate
dedo finger
defensa defense; bumper
definir to define
dejar to allow, let, leave; **déjate de . . .** stop your . . . , cut out your . . .
del = **de** + **el**
delante de in front of
delantero forward
delicado delicate, exquisite
delicioso delightful, delicious, pleasant
demás; lo demás the rest; **los demás** the rest, the others
demasiado too, too much
dentífrico: polvos dentífricos tooth powder
dentro inside; **dentro de** within, inside; **hacia dentro** toward the inside; **vuelto hacia dentro** turned in
departamento department, compartment
dependiente *m.* clerk
depender (de) to depend (on)
deporte *m.* sport; **campo de deporte** athletic field; **de deporte** sport
depósito deposit
derecho right; **derechos** duty, dues; **a la derecha** to the right
desanimarse to become discouraged, lose hope
desarrollar to develop; **hacer desarrollar** to have developed
desarrollo development
desayunarse to eat breakfast
desayuno breakfast
descansar to rest
describir to describe
descubrir to discover
descuidado careless
desde from, since; **desde que** since
deseable desirable
desear to desire, wish
desembarcar to disembark, go ashore
desembarque *m.* landing
deseo desire
desgracia misfortune
desierto desert
designar to designate, indicate
deslizar(se) to slip, slide
despacio slowly
despacho office
despedida leave-taking
despedir to see off; **despedirse (de)** to say goodbye (to), take leave (of)
despegar to take off
despensa pantry
despertador *m.* alarm clock
despertar to awaken
después afterward, then; **después de** after; **después de que** after
destruir to destroy
detrás de behind
deuda debt
devolver to return, give back
di, diste, dió, *etc., pret. of* **decir**
di *imp. of* **decir**
día *m.* day; **al día** per day; **buenos días** good morning; **de día** by day; **hoy día** today; **todo el día** all day; **todos los días** every day
diablo devil, deuce; **¡qué diablos!** what the deuce!

dialogado dialogued
diamante *m.* diamond
diario daily
dibujo drawing, picture
diccionario dictionary
dices, dice, *etc., pres. ind. of* **decir**
dicha happiness
dicho *p.p. of* **decir**
Diego James
diente *m.* tooth
dieta diet; **ponerse a dieta** to go on a diet
diez ten
diferencia difference
diferente different
difícil difficult, hard
difteria diphtheria
diga, digas, *etc., pres. subj. of* **decir**
dignidad dignity
digo I say; I mean
dije, dijiste, *etc., pret. of* **decir**
dinámico dynamic
dinero money
Dios God; **¡ Dios mío !** good Heavens! **¡ Santo Dios !** good Heavens! **¡ Válgame Dios !** good Heavens!
diploma *m.* degree
dirección address
directiva governing board; **mesa directiva** governing body, officers
dirigir to direct, steer; **dirigirse** to make one's way, go
disco record
discurso talk
discutir to discuss, argue
disentería dysentery
dispensar to pardon, forgive
disponer to dispose
disposición disposal
distante distant
distinguir to distinguish
distraerse to amuse oneself
diversión amusement, sport
diversos different
divertir to amuse; **divertirse** to amuse oneself, have a good time; **divertido** amusing, interesting
divino divine, lovely
doble double
doce twelve
docena dozen
documento document
dólar *m.* dollar
doler to hurt, ache; **le duele la cabeza** his head aches
dolor *m.* sorrow, ache, pain; **dolor de cabeza** headache
Dolores *pr. n.*
doméstico domestic
Domingo Dominick
domingo Sunday; **los domingos** each Sunday
Dominguín *pr. n.*
dominio control
don *title used with given names*
donde where; **en donde** where; **por donde** along where, what
doña *title used with given names*
dormir to sleep; **dormido** asleep
dos two
doy I give
dramatizar to dramatize
droguería drug store
duda doubt; **sin duda** doubtless
dueña owner, proprietor
dueño owner, master
dulce sweet, gentle, pleasant; **los dulces** candy
durante during, for
durazno peach
duro hard

E

e and
ecuatoriano Ecuadorian
echar to throw; **echarse** to lie down; **echar(se) a** to start to; **echado** lying down, reclining
edad age
edificio building
editar to edit
efectivo: hacer efectivo to cash
efecto effect
eficiente efficient
efusivo effusive, demonstrative
Egipto Egypt
ejemplo example
ejercicio exercise
ejercitar to exercise, practice
el the; **el de** the one of, the one with; **el que** the one who, which
él he, him; it; **de él** his
elaborar to elaborate
elástico sweater
elefante *m.* elephant

elegante fashionable
elegir to elect, choose, select
elemento element
elija, elijas, *etc., pres. subj. of* **elegir**
ella she, her, it; **de ella** her, hers
ellas they, them
ello it, that
ellos they, them
embarcarse to embark, board a ship, go on board
embargo: sin embargo yet, nevertheless
emocionante thrilling
emparedado sandwich
emperatriz *f.* empress
empezar to begin
empleado employee, official
emplear to use
en in, on, by, at
enagua petticoat
enano dwarf, midget
encaje *m.* lace
encantador charming, delightful
encantar to charm, thrill, enrapture
encanto charm, delight, enchantment; **¡ qué encanto !** how enchanting!
encargar (de) to put in charge (of), charge with; **encargarse de** to take charge of, see about
encerar to wax
encierro inclosure
encima on, on top; **encima de** on top of, above, over; **por encima de** over; **tener encima** to have on one's back
encogerse to shrink
encontrar to find; **encontrarse con** to meet, run across
encurtido pickle
enchilada *corn cake wrapped around a filling of meat and vegetables*
enchufar to plug in
enchufe *m.* plug, outlet (*for electricity*)
endosar to endorse
enero January
enfermarse to become ill
enfermedad illness, sickness
enfermera nurse
enfermo ill, sick; sick person
engañar to deceive
enjabonar to soap, lather
enjuagar to rinse
enmienda correction
enorme enormous, large
Enrique Henry
ensalada salad
ensayar to try out
enseñar to teach, show
entender to understand; **entendámonos** let us understand one another
entero entire, whole, complete
entonación intonation
entonces then
entrada entrance; **boleto (precio) de entrada** admission
entrante coming, next
entrar to enter, come in
entre between, among
entregar to hand, hand in, deliver, present
entusiasmo enthusiasm
enviar to send
equipaje *m.* baggage
equipo team
equitación equitation, riding a horse
era, eras, *etc., imp. ind. of* **ser**
eres you are
erigir to build
erija *pres. subj. of* **erigir**
error *m.* mistake
erudito scholar
es he is, you are
escalera stairway
escalerilla ladder
escalón *m.* step
escándalo scandal
escaparse to escape, run away
escena scene, stage
escoger to select, choose
escribir to write; **máquina de escribir** typewriter; **papel de escribir** stationery
escrito *p.p. of* **escribir**
escritorio writing desk
escuchar to listen (to)
escuela school
ese that
ése that one
esfuerzo effort
esmerado careful, painstaking
eso that; **eso de** the idea of; **eso es** that is it; **¡ eso !** that's it! **a eso de** about; **por eso** for that reason

España Spain
español Spanish, Spaniard; **de español** Spanish
esparadrapo adhesive tape
espárragos asparagus
especial special
especialidad specialty
especializar to specify, itemize; **especializarse** to specialize
especie *f.* kind
especificar to specify, itemize
espectáculo spectacle, sight
espectador *m.* spectator
espera: sala de espera waiting room
esperar to wait, wait for, expect, hope
espíritu *m.* spirit
espléndido splendid, fine
esposa wife
esposo husband; **los esposos** Mr. and Mrs.
esquiar to ski
esquina street corner
estación season, station; **estación de gasolina** filling station; **jefe de estación** station master
estado state, status; **Estados Unidos** United States
estampar to print, outline
estampilla stamp
estante *m.* shelf
estar to be, look, taste; **ya está** it's done now
estatura stature, height
estatuto statute, rule; **estatutos** by-laws
este this
éste this one; the latter
estibador *m.* stevedore
estilo style
esto this
estrella star; *m.* star (*actor*)
estrellita little star; *name of a song*
estreno première
estuche *m.* case, kit
estudiante *m.* student
estudiantina band of students; *name of a club*
estudiar to study
estudio study
estufa stove
estupendo stupendous
estuve, estuviste, *etc., pret. of* **estar**
etiqueta: traje de etiqueta formal dress
evitar to avoid
exacto exact
examen *m.* examination
examinar to examine
excelente excellent
excepción: con excepción de except
excepto except
excesivo excessive
exceso excess (*weight*)
exclamar to exclaim
exclusivo exclusive
éxito success
expedir to issue
experto expert
explicación explanation
explicar to explain
exponer to expose; **sin exponer** unexposed
exportar to export
expresar to express
expreso express
exprimidera wringer
expuesto *p.p. of* **exponer**
exquisito exquisite
extender to issue
extraer to extract
extranjero foreign; **al extranjero** abroad
extraño strange
extraordinario unusual
extremidad extremity, end; limb
extremo extreme; end

F

fábrica factory
fabuloso fabulous
fácil easy
facturar to check
faja sash
falda skirt
falta lack, mistake; **sin falta** without fail
faltar to be missing, be absent
familia family; **casa de familia** family home, residence; **en familia** in the family group
familiarizarse to become familiar
famoso famous, well-known
farmaceuta *m.* druggist
farmacia drug store
faro lighthouse
fatalista fatalistic

favor help; **por favor** please; **hágame el favor de . . .** please . . .
favorito favorite
fe *f.* faith; certificate
felicitaciones congratulations
felicitar to congratulate
feliz happy
feo ugly, uncouth
feroz ferocious
ferrocarril *m.* railroad
fiambre *m.* cold cut, hors d'oeuvres
fiebre *f.* fever
Fierro, Martín *Argentine fictional hero*
fiesta holiday, festival, celebration; **día de fiesta** holiday
figurar to figure, appear; **figurar en** to figure in, form part of; **figurarse** to imagine; **¡ figúrese !** just imagine!
fijo fixed
fila row
filete *m.* steak
filma film
fin *m.* end; **al fin** at last
final *m.* end; **finales** *f.* finals
fino delicate, fine, of good quality
firmar to sign
fiscal *m.* prosecuting attorney
flaco thin, skinny
flan *m.* custard
flirtear to flirt
flor *f.* flower
Florida (la) Florida
flotante floating
flotar to float
fogón *m.* camp fire
fondo back, bottom, background
football *m.* football (*U.S.*)
forma form, shape, way
formar to form
formidable powerful
fortuna fortune; **por fortuna** fortunately
forzoso forced
foto *f.* picture, photograph, snapshot
fotografía photography, taking pictures, picture, snapshot
fotográfico photographic
fotógrafo photographer
francés French; **a la francesa** French fried . . . ; French . . .
frasco jar
frase *f.* phrase
frecuente frequent
freno brake
frente: al frente in front; **frente a** in front of, facing
fresa strawberry
fresco cool, fresh
frío cold; **hace (mucho) frío** it is (very) cold (weather); **tengo (mucho) frío** I am (very) cold
frito fried; **frito criollo** *L.A. dish*
frontón *m.* court
fruta fruit
fuego fire
fuente *f.* fountain, spring, source
Fuentes *pr. n.;* **la Fuentes** Miss Fuentes
fuera outside; **fuera de** outside
fuera, fueras, *etc., past subj. of* **ir** and **ser**
fuerte strong
fuerza force
fuí, fuiste, *etc., pret. of* **ir** and **ser**
fumar to smoke
función performance
fútbol *m.* soccer

G

gabinete *m.* small parlor, study
galería: de galería in the gallery
galón *m.* gallon
Gallegos *L.A. novelist*
galleta cracker
gallina hen, chicken
ganadería cattle ranch
ganar to win, earn, gain, save; **ganarse** to earn oneself, make
garganta throat
gasolina gasoline; **estación de gasolina** filling station
gastar to spend
gasto cost, expense
gato cat
gatica small cat, kitten
gaucho cowboy
gaviota seagull
gemelos twins; **camas gemelas** twin beds
gendarme *m.* policeman
general: por lo general in general, generally, as a rule
gente *f.* people; **gentes** persons, people

gentil graceful
gentío crowd
genuino genuine, real
gerencia management
gerente *m.* manager
gesto gesture
glicerina glycerine
gobierno government
goloso fond of dainties
goma rubber; **zapatos de goma** rubbers
gordo fat
gozar (de) to enjoy
grabado engraving, picture, cut
grabar to engrave
gracias thanks
gracioso funny, amusing
grado degree
graduado candidate for a degree
graduarse to graduate
gramática grammar
grande large, great
grandioso grand, magnificent
grasa shoe polish
grave serious
gris grey
gritar to shout, cry
grito shout, cry
grupo group
Guadalajara *city in Mexico*
Guadalupe *pr. n.; town in Mexico*
guajolote *m.* turkey; **mole guajolote** *turkey with piquant gravy*
Guanajuato *city in Mexico*
guante *m.* glove
guapísima very beautiful
guapo handsome, good-looking
guardameta *m.* goal keeper
guardar to keep; put away; **se guardan** are kept
guardia *m.* policeman
guerra war
Guerrero *pr. n;* **la Guerrero** Miss Guerrero
guía *m.* guide; *f.* guide book
guiar to guide, drive
guisantes *m.* peas
guitarra guitar
gustar to please; **le gusta(n) . . .** he likes . . . ; **cuando gusten** when you wish; **si gustan** if you wish
gusto pleasure; **con mucho gusto** gladly; **lo que gusten** whatever you want; **tanto gusto** I'm happy to make your acquaintance; I'm happy to see you; **tanto gusto en conocerle** I'm happy to make your acquaintance

H

ha *3rd sing. pres. ind. of* **haber**
Habana (la) Havana
habanera *a Cuban dance*
habanero resident of Havana
haber to have (*auxiliary*); **había** there was (were); **hay** there is (are); **hubo** there was (were); **haber de + inf.** to be to; **han de hacerlo** they are to do it; **haber que + inf.** to be necessary to; **hay que hacerlo** it is necessary to do it, one must do it; **los hay** there are some; **no habiendo otros** there being no others; **no las hay** there are none; **puede haber** there can be; **si las hay** if there are any
hábil skilful
habilidad skill
habitación room
habitante *m.* inhabitant
hábito habit
habla speech; **de habla española** Spanish-speaking
hablar to speak, talk
hacer to do, make, give; carry out; **hacerse** to get, become; **hacer cortar** to have cut; **hace dos semanas que estamos aquí** we have been here for two weeks; **hace una semana** a week ago; for a week; **hace un año que** it has been a year since; for a year; **hacía mucho tiempo que queríamos tener . . .** we had wanted to have . . . for a long time; **hecho** ready made
hacia toward
hacienda plantation, farm
haló hello
hallar to find
hallazgo find
hambre *f.* hunger; **muerto de hambre** starved; **tener hambre** to be hungry
han *3rd plur. pres. ind. of* **haber**

haré, harás, *etc., fut. of* **hacer**
haría, harías, *etc., cond. of* **hacer**
has *2nd sing. pres. ind. of* **haber**
hasta until, as far as, to, even; **hasta luego** see you later; **hasta más ver** until I see you again
hay *from* **haber** there is (are)
haya, hayas, *etc., pres. subj. of* **haber**
hecho *p.p. of* **hacer**
helados ice cream
herida wound, injury
herido injured person
herir to injure, wound
hermana sister
hermano brother; **hermanos** brother(s) and sister(s)
hermosísimo very beautiful
hermoso beautiful
hice, hiciste, hizo, *etc., pret. of* **hacer**
hielo ice; **de hielo** ice
hierba grass
hija daughter
hijito: m'hijito my dear, my darling
hijo son
hilo thread; **vestido de hilo** cotton dress
Hispano Spanish; **Hispano América** Spanish America
hispanoamericano Spanish American
historia history
hogar home
hola hello
hoja leaf
hombre *m.* man, my dear fellow
hora hour, time; **¿ a qué hora(s) ?** at what time? **es hora de** it's time to; **¿ qué hora es ?** what time is it? **¿ qué horas son ?** what time is it?
horario timetable, schedule
horno oven
horror: ¡ qué horror ! how terrible!
hortensia hydrangea
hoy today; **hoy mismo** this very day
hube, hubiste, *etc., pret. of* **haber**
hubiese, hubieses, *etc., past subj. of* **haber**
huevo egg
huir to flee
humano human
húmedo damp
huyo, huyes, *etc., pres. ind. of* **huir**

I

iba, ibas, *etc., imp. ind. of* **ir**
identificación identification
idioma *m.* language
iglesia church
igual equal, similar, like it
ilustración illustration
ilustrar to illustrate
imagen *f.* image, statue
imitar to imitate
impedir to prevent
impermeable *m.* raincoat
imponer to impose
importante important; **lo importante** the important thing
importar to be important, matter; to import
impresión impression
impresionar to impress
incendiado burning, on fire
incendio fire
inclinarse to be inclined
inclusive including
increíble incredible, unbelievable
indefensa defenseless, helpless
indicar to indicate, show
indicativo indicative
indio Indian
individuo individual
inflado inflated, puffed
informar to inform
informe *m.* report
ingenio sugar mill, plantation
inglés English
iniciar to initiate, start
inmediato immediate, while you wait
inmigración immigration
insigne notable, famous
insistir to insist
instantánea snapshot
instrumento instrument
integrante integral
intenso intense
interesado person concerned, owner
interesante interesting; **lo interesante** the interesting part
interesar to interest
interino temporary, provisional

intermedio intermission
interrumpir to interrupt
intimidad privacy
intitular to entitle, call
inútil useless
invencible invincible, unbeatable
invierno winter; **de invierno** for winter wear; **ropa de invierno** heavy clothing
invitación invitation; **hacer una invitación** to give an invitation
invitado guest
invitar to invite
inyección inoculation; **hacerse poner inyecciones** to have oneself inoculated
ir to go; **irse** to go away, leave; **¡qué va!** Oh, yeah? **vámonos** let's go; **vamos** let us go; come, now; come, come; **vamos a ver** we are going to see, let's see
Isabel Elizabeth
isla island
izquierdo left; **a (de) la izquierda** to the left

J

ja ha
jabón *m.* soap
jai-alai *a Basque game*
jamás never
jamón *m.* ham
Japón (el) Japan
jarabe *m.* syrup
jardín *m.* flower garden, garden
jefe *m.* chief, master
jeringa syringe
jersey *m.* sweater
jira outing, excursion; lunch; **hacer jiras** to go on excursions
jitomate *m.* tomato (*Mexico*)
joven young, young man, young person
joya jewel
joyería jewelry store
Juan John
Juana *pr. n.*
juego game, suite, set
juez *m.* judge
jugada play
jugador *m.* player
jugar to play, gamble; **jugar a** to play, play with
jugo juice
julio July
juntitos very close together
junto: junto a close to, beside; **junto con** along with; **juntos** together
justicia justice, law
justificar to justify, establish
justo just, exact, precise
juzgado courtroom

K

Keops Cheops
kilómetro kilometer (*about* ⅝ *of a mile*)

L

la the; her, you, it; **a la . . .** in the . . . style; in the style of . . . ; **la de** that of, the one of, the one in; **si usted la tiene** if you have one
labio lip
lado side
lago lake
lámpara lamp
lana wool
lancha launch
langosta lobster
lanza spear
lápiz *m.* pencil
largo long
las the; them, you; any; **las hay** there are some
lástima pity
lata can
latino Latin
lavabo washstand
lavadero sink
lavado laundry (service)
lavandería laundry
lavar to wash; **máquina de lavar** washing machine
le him, you; to *or* for him, *etc.*
lección lesson
lectura reading; **sala de lectura** reading room
leche *f.* milk
lechero milkman
lechuga lettuce
leer to read
legumbre vegetable; **de legumbres** vegetable

lejano distant
lejos far, far away; **lejos de** far from
lengua language, tongue
lenguaje *m.* language
les them, you; to *or* for them, you
levantar to raise; **levantarse** to get up, rise, arise; **se levanta** it is adjourned
ley *f.* law
libertador *m.* liberator
libra pound
librar to free, deliver
libre free
libro book
liga league
ligero light, slight, fast
límite *m.* limit
limón *m.* lemon, lime
limonada lemonade
limpiabotas *m.* bootblack
limpiadero cleaner; **limpiadero eléctrico** vacuum cleaner
limpiar to clean
limpio clean
lindo pretty, nice
lino linen
liquidar to settle
líquido liquid
lista list, menu; **lista de platos** menu; **pasar lista** to call the roll
listo ready, clever
literatura literature
lo him, you, it; the; so; **lo es** it is (so); **lo de siempre** the same old story
lograr to manage, succeed in
Lolita *dim. of* **Dolores**
longaniza sausage, wiener
los the; them, you; any; **los de** those of; **los que** those who
loza pottery
lueguito: hasta lueguito I'll see you very soon
luego then, next; **hasta luego** until later, I'll see you later
lugar *m.* place, scene; **tener lugar** to take place
Luisiana Louisiana
luminoso luminous, bright
luna moon; **hacía luna** the moon was shining
lunes *m.* Monday
luneta orchestra section
lustrar to shine, polish
luz. *f.* light; **de luz** lighting

LL

llamar to call, name; **llamarse** to be called; **¿cómo se llama?** what is its (your) name?
llano plain
llanta tire
llave *f.* key, faucet
llegada arrival
llegar to arrive, reach; **nos acaba de llegar** we have just received
llenar to fill, fill out
lleno full, filled
llevar to take, wear, carry, have
llover to rain
llueve *3rd. sing. pres. ind. of* **llover**
lluvia rain

M

machete *m.* *a long knife*
madre *f.* mother
maestro teacher
Magaña *pr. n.*
magnífico magnificent, splendid
maíz *m.* maize, corn
mal badly, poorly, ill
Malaguita *a town*
maleta suitcase
malo bad, unpleasant, ill
mamá mother
mandar to order, send
manejar to drive, handle
manera way; **de otra manera** otherwise
manga hose
manguera hose
manicura manicurist
mano *f.* hand; **a mano** by hand
manojo bunch, handful
manteo cap and gown
mantequilla butter
manzana apple; block
mañana morning; *adv.* tomorrow
mapa *m.* map
máquina machine; **máquina de escribir** typewriter
maquinilla clippers, safety razor, machine, electric shaver; **a la maquinilla** with clippers

maquinista *m.* engineer
mar *m. and f.* ocean, sea; **de mar** salt water
maravilla marvel, wonder, marvelous thing; **a la maravilla** marvelously
maravilloso marvelous, wonderful
marchar to run
marearse to get seasick, become nauseated; **mareado** seasick, nauseated
mareo seasickness
margarita daisy; *pr. n.*
Marianao *city in Cuba*
marido husband
Mario *pr. n.*
mariscos shellfish
martes *m.* Tuesday
Martí, José *(1853–1895) Cuban liberator and poet*
Martínez *pr. n.*
más more, most; **más de** more than; **más que** more than; **nada más** only; **no más** just; **no más que** nothing but, only; **¡ qué hombres más fuertes !** what very strong men! **¿ qué más ?** what else?
masa: en masa en masse, in a body
masaje *m.* massage
mascar to chew
masques *pres. subj. of* **mascar**
matar to kill
matrimonio matrimony
mayor older, larger, greater; oldest, largest, greatest; more important; most important
mayoría majority
me me, to me, for me, from me, of me
mecánico mechanic
mecedor: silla mecedora rocking chair
media stocking
medicina medicine
médico doctor; **con el médico** at the doctor's
medida measure; **a la medida** made to order; **a medida que** as
medio half, a half; **media noche** midnight; **por medio de** by means of; **y media** half-past
medir to measure; **medirse** to try on
meditar to meditate
mejor better, best; **lo mejor** the best, best thing to do; **¡ mejor que mejor !** all the better, so much the better
melancólico melancholy, sad
melocotón *m.* peach
memoria memory; **de memoria** from memory, by heart
menor younger, youngest, slightest
menos less; **menos de** less than; **a lo menos** at least; **a menos que** unless; **por lo menos** at least
mensaje *m.* message
mentira lie, false
mentolato mentholatum
menudo: a menudo often
mercado market
merecer to deserve
mes *m.* month; **al mes** per month
mesa table, desk; **mesa directiva** governing body, officers
mesera waitress
mexicano Mexican; **a la mexicana** Mexican style
mi my
mí me; **es para mí** is mine
micrófono microphone
miedo fear; **darle miedo a uno** to make one feel afraid; **tener miedo (a)** to be afraid (of)
miel *f.* honey
miembro member
mientras (que) while
mil (one) thousand
milagro miracle
milla mile
miniatura miniature
minoría minority
minuto minute
mío mine, of mine; **el mío** mine; **los míos** my family
mirada glance, look
mirar to look, look at, watch, see; consider
mismo same, self, very; **aquí mismo** right here; **lo mismo** the same; **lo mismo que** the same as; **para mí mismo** for myself
misterio mystery
mitad half
moda fashion; **de moda** fashionable
modelo model
moderado moderate

moderno modern, new
módico moderate
modismo idiom
modo way, manner; **de otro modo** otherwise
mojarse to get wet
mole *a piquant sauce or gravy*
moler to grind
molestia: causar molestias to bother, annoy
momento: en el momento de at the time when; **en estos (esos) momentos** just now, just then
Mónica *pr. n.*
montaña mountain
monte mountain
monumento monument
Morales *pr. n.;* **la Morales** Miss Morales
Morelia *city in Mexico*
moreno brunette
morir to die; **estoy que me muero por . . .** I'm dying to . . .
mostrador *m.* counter, showcase
mostrar to show
mover(se) to move, move about
movimiento movement; **película de movimiento** moving picture
mozo young man; waiter, steward, porter; **mozo de servicio** attendant
muchacha girl
muchacho boy
muchísimo very much
mucho much, very much, a lot; very, quite; long; **muchos** many
mudarse to move, move in
muebles *m.* furniture
muelle *m.* dock
muerto dead, killed; *p.p. of* **morir**
mujer *f.* woman, wife
multa fine
mundial world
mundo world; **el otro mundo** the next world; **todo el mundo** everyone
muñeca doll
muro wall
músculo muscle
museo museum
música(s) music
músico musician
muy very, quite, highly

N

nacer to be born
nacimiento birth
nacionalidad nationality
nada nothing, anything; **nada más** only; **nada menos que** no one less than; **de nada** don't mention it
nadar to swim
nadie no one, any one
naranja orange
natación swimming
natural: al natural in its natural color; raw
navaja razor
navegación navigation
navegar to sail
necesario necessary
necesidad necessity
necesitar to need, have need
negocio business affair; **negocios** business; **hombre de negocios** business man
negro black
nervioso nervous
nevar to snow
ni neither, nor, not even; **ni . . . ni . . .** neither . . . nor . . .
nieto grandson
nieve *f.* snow
nilón nylon
ninguno none
niña girl
niño child, boy; **de niño** children's
no no, not; **¿no?** is it not so? are they not? *etc.;* **creo que no** I believe not
nobleza nobility, loftiness
nocturno: carta nocturna night letter
noche *f.* night, evening; **buenas noches** good evening; **de noche** at night; **esta noche** tonight; **media noche** midnight; **por la noche** at night
nombre *m.* name
norte *m.* north
norteamericano North American
nos us, to us, for us, *etc.*
nosotros we; us
nota note
notar to notice, observe

noticia notice, news; **noticias** news
novela novel
noveno ninth
noventa ninety
novia fiancée; **novios** betrothed
nube *f.* cloud
nuestro our
nueve nine
nuevo new; **de nuevo** again
número number
nunca never

O

o or; **o . . . o . . .** either . . . or . . .
obedecer to obey
obediente obedient
obispo bishop
objeto object, article
obra work
obsequiar to present
observar to observe, watch
obtener to obtain, get
obtuve, obtuvo, *etc., pret. of* **obtener**
océano ocean
octavo eighth
octubre October
ocupado occupied, busy
ocupar to occupy
ocurrir to occur, take place, happen; **ocurrírsele a uno** to take it into one's head
ochenta eighty
ocho eight; **las ocho** eight o'clock; **son las ocho** it is eight o'clock
ochocientos eight hundred
oficial *m.* official, officer
oficina office
ofrecer to offer; **¿ qué se le ofrece ?** what can I do for you?
oído inner ear, ear
oiga, oigas, *etc., pres. subj. of* **oír**
oigo *1st sing. pres. ind. of* **oír**
oír to hear, listen, listen to; **como lo oyes** that's what I said
ojo eye
ola wave
Olga *pr. n.*
olor *m.* odor, smell
olvidar to forget; **olvidarse de** to forget; **no olvidar** don't forget
once eleven
ondulado wave, permanent wave
Oñate *pr. n.*
operar to operate on
opinar to think, be of an opinion
oportunidad opportunity
oración sentence
orden *m.* order, class; **a sus órdenes** at your service
ordenar to order, arrange
ordinario ordinary, regular
oreja ear
organizar to organize
oro gold
orquesta orchestra
ostión *m.* oyster
ostra oyster
otoño autumn
otro other, another
oyes, oye, *pres. ind. of* **oír**
oyó, oyeron, *pret. of* **oír**

P

paciencia patience
Paco Frank
padre *m.* father; **padres** parents
pagador *m.* payer, teller
pagar to pay (for); **me la pagarás** you'll pay me for this
página page
país *m.* country; **del país** domestic
paisaje *m.* countryside, scenery
pájaro bird
palabra word, speech; **darle el uso de la palabra** to let you have the floor; **pedir la palabra** to ask for the floor; **tener la palabra** to have the floor
palacio palace
palco box seat
palma palm
pampa plain
pan *m.* bread
Pancho *dim.* of **Francisco** Frank
panecillo roll
pantalla screen
pantano swamp
pañuelo handkerchief
papa potato
papá *m.* father
papacito daddy, father dear
papaya *a tropical fruit*
papel *m.* paper, document; part, role; **hacer el papel de** to take the part of

papelería stationery store
paquete *m.* package
para for, to, in order to; **para que** so that, in order that
parabrisas *m.* windshield
paracaídas *m.* parachute
parachoques *m.* bumper
parada stop; **señal de parada** stop sign
paragolpes *m.* bumper
paraguas *m.* umbrella
parar to stop
parecer to seem, seem like, look, look like; **parecerse** to resemble one another; **parecerse a** to resemble, look like; **¿cómo le pareció?** how did you like it? **¿no le parece?** don't you think so? doesn't that seem best? **¿qué les parece?** what do you think of it? **parecido a** similar to
pared *f.* wall
parentesco relationship
pariente *m.* relative
parque *m.* park
parrilla grill; **a la parrilla** grilled
parroquiano customer, client, guest
parte *f.* part; **de todas partes** from everywhere; **en cualquier parte** anywhere; **en (por) todas partes** everywhere
particular private; **nada de particular** nothing strange, nothing special
partida departure; game, match
partir to leave, depart; part
pasado past, last
pasaje *m.* passage
pasajero passenger
pasaporte *m.* passport
pasar to pass, go, come, come in, enter, go ahead, happen, be wrong, spend; **pasar con** to happen to; **¿me pasará?** will it leave me? **¿qué te pasa?** what is wrong with you? **se pasarán a . . .** performances at . . .
Páscuaro *lake in Mexico*
pase *m.* pass; **hacer pases** to pass
pasearse to stroll, walk
paseo walk, stroll, trip, excursion; **dar paseos** to take walks; **dar un paseo** to go for a walk
paso step
pasta paste, toothpaste
Pastejé *name of a ranch*
pastel *m.* pie, pastry
pasterizar to pasteurize
pastilla wafer, lozenge
patalear to kick
patín *m.* skate
patinador *m.* skater
patinar to skate
patio courtyard
patriota patriot, patriotic
patrona patron saint
pausa pause
pavimentar to pave
pavimento pavement
paz *f.* peace
peatón *m.* pedestrian
pecho chest, breast
pedir to ask, ask for, request, order
Pedro Peter
peinadora hairdresser, operator (*in a beauty parlor*)
peinar to comb, comb one's hair
película film
peligro danger
peligroso dangerous
pelo hair
pelota ball
pelotari *m.* jai-alai player
peluquería barber shop
peluquero barber
pensar to think, intend; **pensar en** to think of; **bien pensado** a good idea
pensión (de familia) boarding house
Pepín *dim.* of **José**
pequeño small
perder to lose, miss, waste
perdonar to pardon, forgive
peregrino pilgrim
perfecto perfect
periódico newspaper
permanente permanent
permiso permission; **con su permiso** excuse me
permitir to permit, allow; **¿se permite . . . ?** is one allowed to . . . ?
pero but
perrito *dim. of* **perro**
perro dog
perseguir to chase
persona person; **personas** persons, people

pertenecer to pertain, belong
pertenencia: de su pertenencia belonging to him
pesado heavy
pesar to weigh; grieve; **¿te pesa?** do you feel sorry? do you regret? **a pesar de** in spite of
pesca fishing; **cuerda de pesca** fishing line
pescado fish
pescador *m.* fisherman
pescar to fish
pesimista pessimistic
peso weight; *a coin*
pestaña eyelash
pie *m.* foot; **a pie** on foot; **de pie** standing
Piedad *pr. n.*
piedra stone
piel *f.* fur, skin, hide, leather
pieza room
pijamas pajamas
pila fountain
piloto pilot
pimienta pepper
pinchazo puncture
pintar to paint, tint
pintoresco picturesque
piña pineapple
pipa pipe; **fumar en pipa** to smoke a pipe
pirámide *f.* pyramid
pirata *m.* pirate
piscina swimming pool
pisito flat, apartment
piso floor, story
pista court
pitillo cigarette
pizarrón *m.* blackboard
placer *m.* pleasure
plancha iron
planchado en seco dry cleaning
planchar to iron, press; **tabla de planchar** ironing board
plano plan
plata silver
plataforma platform
plátano banana
plato plate, dish; **lista de platos** menu
playa beach
plaza square
pluma pen, feather
población small town
pobre poor
poco little, bit, a short time; **pocos** (a) few; **por poco** almost
poder to be able, can
poema *m.* poem
poesía poetry
poeta *m.* poet
policía *m.* policeman
política politics
político politician
polvo dust; **polvos** powder; **quitar el polvo** to dust
pollito chick
pollo chicken
ponencia motion
poner to put, place, put on, put out, put in; **ponerse** to put on, fasten, set; become; **ponerse a** to start to; **tener puesto** to be wearing, have on
ponga, pongas, *etc., pres. subj. of* **poner**
Popo *short for* **Popocatépetl**
popularidad popularity
poquito little, little bit, very little
por for, in exchange for, through, by, per, with, at, from, because of, in, along, during; **estar por** to be in favor of; **por lo que veo** apparently
porque because
portabustos *m.* brassiere
portal *m.* portico
portarse to act, behave
portero porter, doorkeeper
posesión: tomar posesión de to occupy, take over
postre *m.* dessert
práctica practice
practicar to practice
práctico practical
prado lawn
precio price
precioso precious, beautiful
preciso necessary, precise, exact
predilecto favorite, preferred
preferir to prefer
pregunta question; **hacer preguntas** to ask questions
preguntar to ask
prenda article, article of clothing
preocupar to preoccupy; **preocuparse** to worry, bother
preparar to prepare

preparativo preparation, plan
presentación presentation, introduction
presentar to present, introduce
presente present, here
presidencia presidency
presidente *m.* president
prestar to lend, give
primavera spring
primero first, best; **lo primero** the first thing
primitivo primitive
primo cousin
princesa princess
princesita *dim. of* **princesa**
principal chief, main; **sala principal** auditorium
prisa speed, hurry; **de prisa** in a hurry, fast; **tener prisa** to be in a hurry
privilegio privilege
probar to prove, test, try on
proceder to proceed; **se procede a** let us proceed to
producir to produce
producto product
programa *m.* program
progreso progress; **tantos progresos** so much progress
prohibir to prohibit; **se prohibe . . .** it is forbidden to . . . ; no . . . allowed
prometer to promise
pronto soon, quick, quickly; **tan pronto como** as soon as
pronunciar to pronounce
propina tip
propio own
proponer to propose, suggest
proposición motion
propósito: a propósito by the way
propuesto *p.p. of* **proponer**
próspero prosperous
proteger to protect
proyectar to project, run (*a film*)
proyecto project, plan
publicidad publicity
público public
pude, pudiste, *etc., pret. of* **poder**
Puebla *city in Mexico*
pueblo town, village
puerta door
puerto port
pues well; well, then; for, since
puesto booth, stand, place; *p.p. of* **poner; puesto que** since
Pulgarcito *dim. of* **pulgar** thumb; Tom Thumb
pulso pulse
puntero pointer
punto point, dot; **en punto** sharp, on the dot
pupitre *m.* desk
puro pure

Q

que who, which, that; than; for; as; **que espere** let him wait; **a que** so that; to; **el que** the one who, the one which; **es que** the fact is that; **lo que** what, that; **más de lo que** more than
¿ qué ? what? **¿ a qué ?** why? **¿ para qué ?** why? **¿ por qué ?** why? **¡ qué !** what! what a!, how; **no hay de qué** you are welcome
quedar to remain, be; **quedarse** to stay, remain, be left; **quedar mucho más** to remain much more so; **le quedan tres** you have three left (over)
quemar to burn
querer to wish, want, love; **¿ quiere usted . . . ?** will you . . . ? **quisiera** I should like; **no quiso** he refused; **querido** dear
queso cheese
quien who, he who; whom; **quienes** those who; **¿ de quién ?** whose?
quieto quiet, calm
quince fifteen
quinto fifth
quise, quisiste, *etc., pret. of* **querer**
quitar to remove; **quitarse** to take off
quizá(s) perhaps

R

rábano radish
radiador *m.* radiator
ranchero: huevos rancheros *eggs served with a very piquant sauce*
rápido rapid, quick, fast
raqueta racket
rasurar to shave

raya dash
razón *f.* reason; **tener razón** to be right
razonable reasonable
razonar to reason
real royal
realidad reality
recado message
recámara bedroom
receta prescription
recetar to prescribe
recibir to receive
recitar to recite
reclamación claim
recobrar to reclaim, recover
recoger to gather, catch
recomendar to recommend
recompensar to recompense, pay for
recordar to recall, remind
recortar to cut, trim
recreo recreation, recess; **campo de recreo** playing field; **hora de recreo** recess
rector *m.* president
recuerdo remembrance, souvenir
red *f.* net
rededor: al rededor around, around about
redondo round
refinar to refine
refrescarse to cool off
refrescos refreshments
refrigerador *m.* refrigerator
regar to water, irrigate; **de regar** for watering
regatear to bargain, haggle
regateo bargaining, haggling
registro: libro de registro register; **oficina de registro** office
regla rule
reír to laugh; **reírse (de)** to laugh (at)
reja barred window, bar
relación: en relación con with relation to
relacionar to relate
religioso religious
reloj *m.* watch, clock
remar to row
remediar to remedy
remedio remedy
remiendos patches, repairs
remo oar; **bote de remo** rowboat
remolacha beet
remolcar to tow
renta income, rent
rentar to rent
reo accused
reparación repair
repasar to review
repente: de repente suddenly
reposar to repose, rest
representación performance
representar to represent, act, give, perform, depict
república republic
repuesto: de repuesto spare
rescatar to save, rescue
reservar to reserve
resfriado cold
resistente strong
resistir to resist
responder to answer; **responder de** to be responsible for
responsable responsible
respuesta answer
restaurante *m.* restaurant
restaurar to restore
resto rest
reunión meeting
reunirse to meet, get together
revelar to develop
reventón *m.* blowout
revisar to inspect
revisor *m.* inspector, conductor
revista magazine
revoltijo mess
revuelto scrambled
rey *m.* king
ría, río *from* **reír**
rico rich; delicious, nice
ríen *from* **reír**
riesgo risk
rima rhyme
riña fight
río river; **de río** fresh-water
rió *pret. of* **reír**
risa laugh, laughter
Rita: Santa Rita *a type of wine*
ritmo rhythm
rival: sin rival unrivalled
rizar to curl
Roberto Robert
rodear (de) to surround (by)
rojo red
rollo roll of film

romántico romantic; **lo romántico** the romantic
Rómulo *pr. n.*
ropa clothing, clothes; **ropa de verano** clothing for summer wear; **ropa de otoño** clothing for fall wear; **tienda de ropa** clothing store
ropería clothing store
rosa rose
rubio blond
rueda wheel; **patines de ruedas** roller skates
ruido noise
ruina ruin
ruleta roulette
rumba *a dance*

S

sábado Saturday
sábalo tarpon
saber to know, know how, be able; find out; **¿ sabe ?** do you see? **supo** he learned, he found out
sabio wise, learned
sabor *m.* taste, flavor
sacar to take out, get out, draw, take pictures, take
sacrificar to sacrifice
sacrificio sacrifice
sainete *m.* a one-act play
sal *f.* salt
sala room, living room, parlor; **sala principal** auditorium
salir to leave, go out, come out
salón *m.* salon; parlor; large hall; **coche salón** parlor car
salsa sauce
salto jump, leap, jumping
salud health
saludar to greet
saludo greeting
salvar to save
salvavidas *m.* lifeguard
Sanborn's *cafe in Mexico City*
sangre *f.* blood
Santa María *name of a ship*
san(to) saint; **día del santo** Saint's day, birthday
santuario sanctuary
sarape *m.* shawl, blanket
sarcástico sarcastic
sardina sardine
sastrería tailor shop
satisfecho satisfied
sé *1st sing. pres. ind. of* **saber**
se himself, oneself, *etc.;* each other, one another; to *or* for him, her, you, *etc.;* **se dice** one says, it is said; **se viaja** one travels; **usarse** to be used
sea *pres. subj. of* **ser**
secador *m.* dryer
secar to dry
seco dry
secretario secretary
secretario-tesorero secretary-treasurer
sed *f.* thirst; **tener sed** to be thirsty
seda silk
seguida: en seguida right away, at once, immediately
seguir to continue, keep on, go on, follow
según as, according to
segundo second
seguridad: de seguridad safety
seguro sure, certain, safe; **de seguro** surely, for certain
seis six
sello stamp; **sello de correo** postage stamp
semana week; **a la semana** a week
semejante similar
sencillez *f.* simplicity
sencillo simple, single; one-way
sentar to seat; fit; **sentarse** to sit down; **sentar bien** to be becoming; **sentado** seated, sitting down
sentido sense, meaning; **en todo sentido** in every sense of the word
sentir to regret, feel sorry, feel, hear, become aware; **sentirse** to feel
señal *f.* sign, signal
señalar to point out
señor sir, gentleman; Mr; (*generally not translated with titles*); **los señores . . .** Mr. and Mrs. . . .
señora lady, madame, wife; **mi señora** madame
señorita young lady, miss
séptimo seventh
ser to be, take place; **ser de** to belong to; become of; be made of; **¿ cómo es ?** what is he like? **puede ser** it is possible
serenata serenade

serpiente *f.* serpent
servicio service; **cuarto de servicio** service room, utility room
servidor: servidor de usted at your service
servilleta napkin
servir to serve, work; **servirse de** to make use of, use; **servir para** to serve for, be for, be of use in; **¿en qué puedo servirle?** what can I do for you? **para servir a usted** at your service; **sírvase** please
sesenta sixty
sesión meeting
setecientos seven hundred
setenta seventy
severo severe
sexto sixth
shampú shampoo
si if, why, indeed
sí yes; indeed; himself, herself *etc.;* **de sí mismo** of himself
siempre always; **siempre que** provided that; **lo de siempre** the same old story
Sierra *pr. n.*
siete seven; **a las siete** at seven o'clock
siglo century
significar to mean
siguiente following, next
silencioso silent
silla chair
sillita small chair
sillón *m.* armchair
simpático nice, pleasant
sin without
sincero sincere
sino but; **no . . . sino** only; **no sólo . . . sino** not only . . . but . . .
síntoma *m.* symptom
siquiera at least, even
sistema *m.* system
sitio site, place
situar to locate
sobre over, above
sobre *m.* envelope
sobrino nephew
socio member, partner
socorro help
sofá *m.* sofa, davenport
sol *m.* sun, sunshine; seats in the sun; **hace sol** the sun is shining; **tomar el sol** to lie in the sun, take a sun bath
solamente only
solo alone; **café solo** black coffee
sólo only
sombra shadow, shade; seats in the shade
sombrerera hat box
sombrero hat
sonar to sound
sonreír to smile
sopa soup
sorbete *m.* soda
sordo deaf
sorpresa surprise
sospechar to suspect
sótano basement
su his, her, its, your, their
suave mild, soft, smooth
subir to go up, climb, get in; take up; **subir a** to get on
suceder to happen
Suecia Sweden; **piel de suecia** suède
suegra mother-in-law
suegro father-in-law
suela sole
sueño dream
suerte *f.* luck
suéter *m.* sweater
suficiente enough
sufrir to suffer, endure, stand
sugerencia suggestion
sugerir to suggest
superar to excel
superior upper, superior
suplementario supplementary
suplemento supplement
suponer to suppose
supuesto *p.p. of* **suponer; por supuesto** of course, certainly
sur *m.* south
surtido stock, supply
suspirar to sigh
susto fright, scare
suyo of his, of hers, *etc.;* **el suyo** his, hers, *etc.*

T

tabacal *m.* tobacco field
tabaco tobacco

tabla board
tacita small cup
taco *a tortilla wrapped around a filling*
tacón *m.* heel
tal such, such a; **¿qué tal?** how are you? how is it? how? what is it like? *etc.;* **¿qué tal está?** what is it like? how are you? **un tal** such a
talón *m.* stub, check
taller *m.* shop
tamal *m.* tamale
tamaño size
también also, too
tampoco neither, either
tan so, such; **qué tan . . .** what a very . . . ; **tan . . . como** as . . . as
tanque *m.* tank
tanto so much, as much, so much so; **tanto como** as much as; **no tanto** not so much so
tanto point
taquilla ticket window, ticket office; **en taquillas** at the ticket office
taquillero ticket seller
tarde *f.* afternoon
tarde late, too late
tarjeta card, postcard; **tarjeta de turista** tourist permit; **tarjeta de visita** visiting card, tourist permit
taza cup
te you, to you, for you, from you
té *m.* tea
teatro theatre
técnica technique
techo roof, ceiling; **bajo techo** indoors
tejo shuffle board
teléfono telephone; **enviar por teléfono** to phone in; **llamar por teléfono** to call
telégrafo telegraph
telón *m.* curtain
tema *m.* theme
temer to fear
temperatura temperature
templado temperate
templo temple, church
temprano early
tender to hang up; **de tender** for hanging up
tenedor *m.* fork
tener to have, hold; **tener que +** *inf.* to have to, must; **aquí las tiene usted** here they are; **aquí tiene usted** here is, here are, here you are; **¿cómo tenía los ojos?** what were his eyes like? **¿qué tenía?** what was wrong with him?
tenis *m.* tennis
tenista *m.* tennis player
Teotihuacán *town in Mexico*
tequila *m.* *an alcoholic drink*
tercero third
Teresa *pr. n.*
terminar to end, finish
termómetro thermometer
terrífico terrific
terroncito lump, small lump
testigo witness
tetera tea kettle, teapot
texto text; **libro de texto** textbook
ti you; **para ti mismo** for yourself
tía aunt
tiempo time, weather; tense; **tiempo de** time to; **a tiempo** on time; **en mis tiempos** in my day; **foto de tiempo** time exposure; **hace mal tiempo** the weather is bad; **¿qué tiempo hace?** what is the weather like?
tienda store, shop
tierra land, earth, home country, dirt; **a tierra** on land
tiesto: tiesto de flores vase
tifoidea typhoid
tijeras scissors
tilma blanket
timbre *m.* bell; stamp
tina tub
tinaja jug
tío uncle; **tíos** uncle and aunt
típico typical
tirar to throw
tiza chalk
tocar to touch, play; **que tocan** that affect one
tocino bacon
todavía yet, still
todo all, everything, each, every; **en todo** completely; **hay de todo** there is a little bit of everything; **verlo todo** to see it all
toga cap and gown
toldillo awning

toldo awning
tolteca Toltec
tomar to take, drink, eat, take on; catch; **tomarse** to drink, take
tomate *m.* tomato
tonto silly, foolish; a fool
torero bullfighter
toro bull
toronja grapefruit
torre *f.* tower
tortilla *flat cake of corn meal;* **tortilla de huevos** omelet
tos *f.* cough
toser to cough
tostadas toast
tostar to toast
trabajador *m.* worker
trabajar to work
trabajo work
tradición tradition
traducir to translate
traer to bring
tráfico traffic; **señal de tráfico** traffic signal
traje *m.* dress, suit
traje, trajiste, *etc., pret. of* **traer**
trampolín *m.* springboard
tranquilo quiet
transformar to transform, change
tránsito traffic
trapo cloth, rag
tras after; **tras de** after
trasto utensil
tratar to treat; **tratar de** to try to; be a matter of, deal with; **tratarse de** to be a matter of
trece thirteen
treinta thirty
tren *m.* train; **en tren** by train
tres three
trigo wheat
Trinidad *city in Cuba*
trípode *m.* tripod
triste sad
tronco trunk
tubo tube
tumbar to knock down
turista *m.* tourist
tú you
tu your
tuve, tuviste, *etc., pret. of* **tener**
tuyo of yours; **el tuyo** yours

U

u or
¡uf! *exclamation of annoyance*
Ugarte *pr. n.*
último last, latest
unanimidad: por unanimidad unanimously
único only
unir to unite
universidad university
universitaria university
un(o) a, an, one; **unos** some, any, about
uña nail
urgente urgent; **recado urgente** special-delivery message
Urrutia *pr. n.*
usar to use, wear
uso use
usted you; **de usted** your, yours
útil useful
uva grape
uy *expression of annoyance*

V

va, vas, *etc., pres. ind. of* **ir**
vacaciones *f.* vacation
vacuo empty
vainilla vanilla
valer to be worth; **¿cuánto valen?** how much are they worth? **más vale** (it is) better
valor *m.* bravery, value, cost, worth; **de valor** valuable
valse *m.* waltz
valle *m.* valley; **del Valle** *pr. n.*
vamos (a) we are going (to), let's go, let's . . . ; come, come
vapor *m.* steam, steamer
variado varied
variedad variety; **almacén de variedades** department store
varios various, several
vasco Basque
vaso glass
vaya, vayas, *etc., pres. subj. of* **ir**
ve *imp. of* **ver** *and* **ir**
veces *pl. of* **vez**
vegetal vegetable
vehículo vehicle
veinte twenty

veintidós twenty-two
veintiuno twenty-one
velocidad speed, rate of speed
venda bandage
vendedor *m.* vendor, seller
vender to sell
venerar to venerate, revere
venir to come; **bien venido** welcome; **que viene** next
venta sale; **de venta** on sale
ventaja advantage
ventajoso advantageous
ventana window
ver to see; **vea** look; **a ver** let's see; hello; **hasta más ver** until I see you again
Veracruz *city in Mexico*
verano summer
veras: de veras truly, really, indeed
verdad true, truth; **¿verdad?** isn't it? isn't it true? aren't they? *etc.;* **a la verdad** in truth; **de verdad** in truth, really
verde green
verso verse, line of poetry
vestíbulo vestibule
vestido dress; **vestidos** clothing
vestir to dress; **vestirse** to get dressed, dress
vez *f.* time; **alguna vez** ever; **de vez en cuando** from time to time; **en vez de** instead of; **otra vez** again; **una vez** once
viajar to travel
viaje *m.* trip; **de viaje** for traveling; **hacer un viaje** to take a trip
viajero traveler; **cheque de viajero** traveler's check
víctima victim
vida life; **ganarse la vida** to earn one's living
vidrio window pane
viejo old, old man
viento wind; **hace viento** it is windy
vino wine
viñeta vignette
violencia violence
violoncello bass viol
virar to turn
Virgen Virgin
viril virile
visar to visa
visita visit; **tarjeta de visita** visiting card; tourist permit
visitar to visit
vista sight, view; **hasta la vista** see you later; **tener vista a** to have a view of
visto *p.p. of* **ver**
vivir to live
vocabulario vocabulary
vocal *m.* member of a governing board (*but not ex officio*)
volante *m.* steering wheel
volar to fly
volcán *m.* volcano
volcar to upset, turn over
voluntad will
voluntario voluntary, volunteer
volver to return, go back, come back, turn; **volverse** to become; **volver a ver** to see again
votación voting
votar to vote (on)
voto vote
voz *f.* voice; **en voz alta** aloud; **en voz baja** in a low tone of voice
vuelo flight
vuelta return, turn; **dar una vuelta** to take a walk, take a turn
vuelto *pp. of* **volver**

X

Xochimilco *town near Mexico City*

Y

y and
ya already, now, soon; **ya está** now it's done; now it is
yarda yard
yo I

Z

zabullirse to dive
zaguero fullback, back
Zamora *city in Spain*
zanahoria carrot
zapatería shoe store
zapato shoe
zarcillo earring
Zócalo *main square in Mexico City*
zoco square, market
zurdo left handed

J-R-73210/6987